だいわ文庫

2時間でおさらいできる

日本史

石黒拡親

大和書房

はじめに

世の中にはまれに、一度覚えた言葉は忘れないという人がいるが、ほとんどの人は、その言葉を使わずにいると忘れてしまうものだ。だからこそ新商品を宣伝するCMでは商品名を連呼したり、節やメロディーをつけたりする。

興味のわかないモノの場合は、細かい特徴など気にせずに、大雑把に分類して記憶するだけである。筆者自身で言えば、犬と猫の区別はついても、犬の中の細かい分類はできない。いや、姿・形の違いくらいはわかるのだが、その名前をひとつひとつ覚えるところまでは達していないのである。

しかし、名前を知らないことは、そんなに責められることだろうか。

一年ほど前、世界史の見聞も広げたくなって、さまざまな本を読みあさった。城や町並みが好きな筆者としては、その手の図鑑系にのめり込み、拡大鏡まで持ち出して丹念にチェックした。「こんなの同時代の日本では、ありえない進んだ技術だな」とか、「日本人も西洋人も、やっぱり考えることは同じだな」などと楽しんだのである。

ところが、その歴史の流れを説明する本を読むと、今一つ楽しめない。最後まで読み通すのも苦痛なくらいだ。一番大きな壁だったのは、まぎらわしいカタカナ名だった。ローマの歴史に出てくる「グラックス兄弟」と「将軍クラッスス」などは、別人と気づかないまま読み進めていた。

自分の記憶力のなさにはうなだれるほかないが、じれったさもつのった。「人名なんてどうでもいいから、人間の営みそのものが知りたい！」と。

ローマのあの高い文化水準が、その後なぜ衰えてしまったのか。そっちの方がずっと気になるのである。そうして思ったのは、普通の人が日本史の本に向かうときも、同じ感情を抱くのではないだろうか、ということだった。

小中学生のころにはわからなかった「人間のありよう」が、大人になった今ならわかるのだ。小中学生向けの教科書には「人間ってこういうことするものだよね」なんて視点は入っていない。その逆に前述の世界史本のようだと、見知らぬ用語ばかりで本質がかすんでしまってつまらない。枝葉末節なんて、もっと日本史に興味をもってから知ればいいのだから、まずは太い歴史の流れがわかる本があるべきじゃないか。

ちょうどそんなことを思っていたときに、この本を書いてみないかという提案を受けた。渡りに船とばかりにお引き受けし、書きつづってみた。ふだん予備校の教壇に立つ身としては、受験で大切とされる用語に触れずにいるのは勇気がいった。しかし、肝心な歴史の流れをきわだたせるためだと、心を鬼にしてバッサリ削って書き進めたのである。

ところどころには、現代にも通ずる話を挟んでいる。こうして日本の歴史をたどっていくと、今さらながらに歴史全体を「わしづかむ」感覚を味わえるのではないだろうか。この試みを楽しんでいただければ幸いである。

石黒　拡親

第3章 奈良時代

第4章 平安時代

第5章 鎌倉時代

第6章 南北朝～室町時代

第10章　大正時代～昭和戦前

第11章　昭和戦後～平成時代

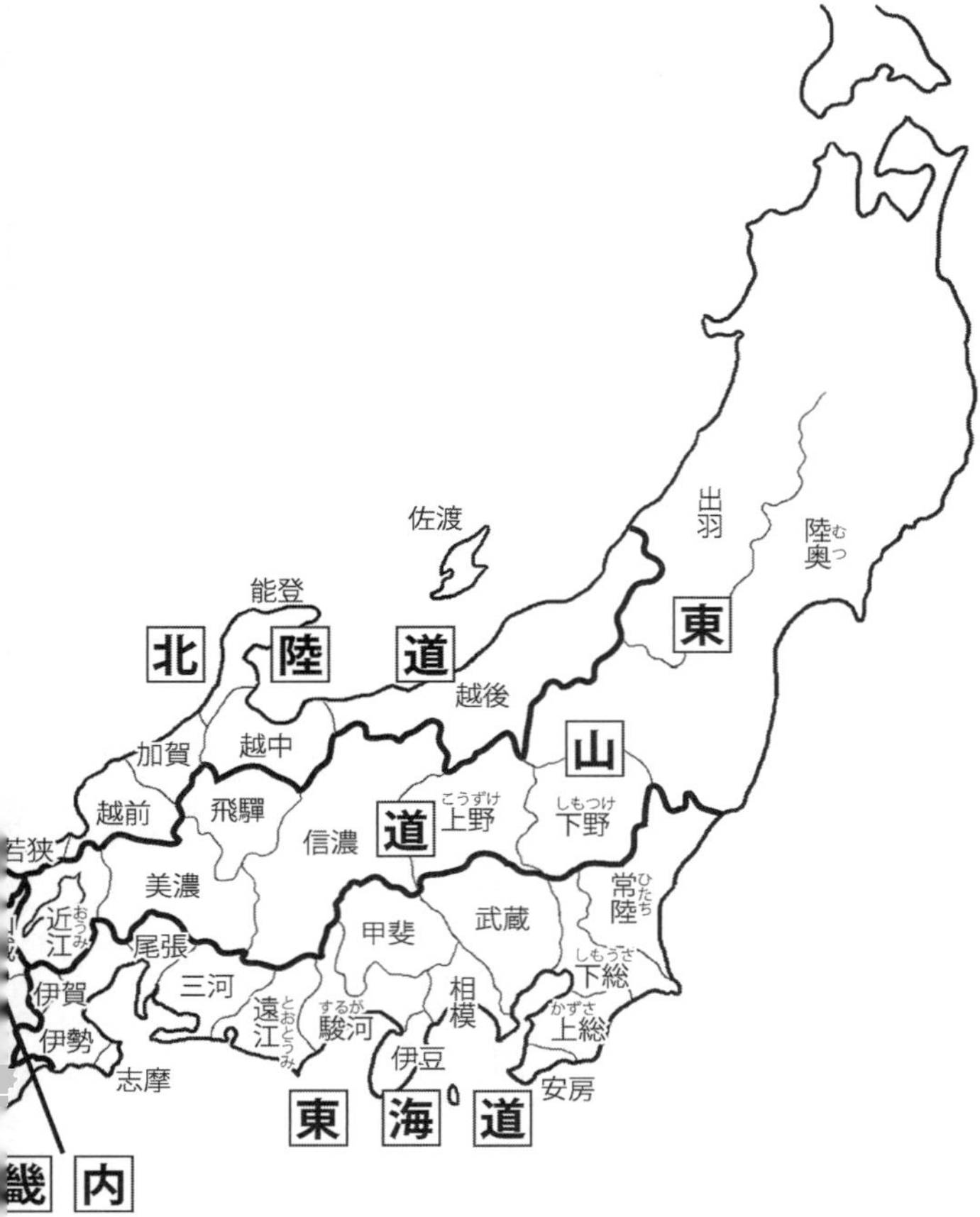

陸奥《むつ》
出羽
東
佐渡
能登
北
陸
道
越後
越中
加賀
山
越前
飛驒
信濃
道
上野《こうずけ》
下野《しもつけ》
若狭
美濃
常陸《ひたち》
近江《おうみ》
甲斐
武蔵
尾張
三河
下総《しもうさ》
伊賀
遠江《とおとうみ》
駿河《するが》
相模
上総《かずさ》
伊勢
伊豆
志摩
安房
東
海
道
畿
内

●古代の行政区画

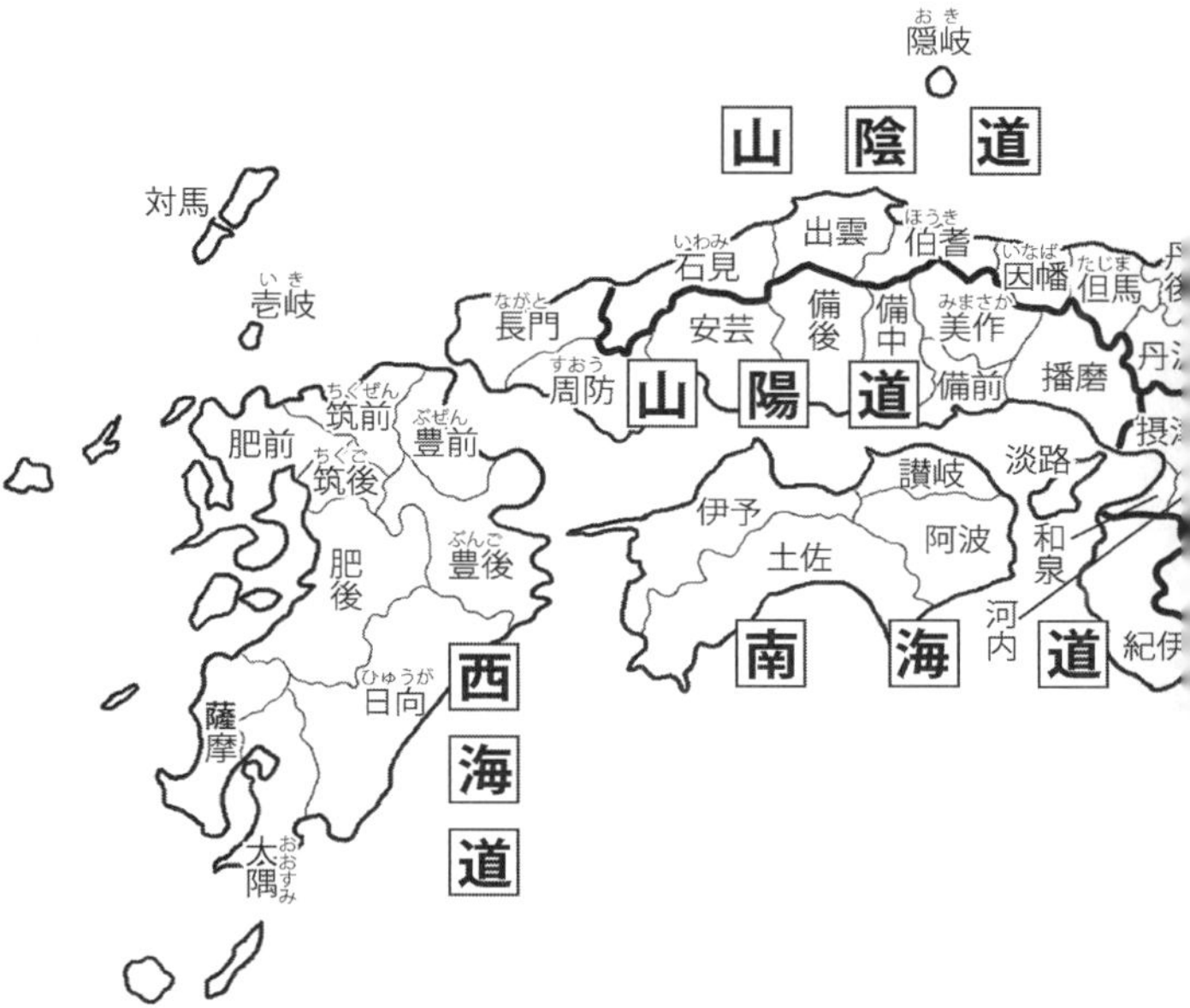

隠岐《おき》
山陰道
出雲
伯耆《ほうき》
石見《いわみ》
因幡《いなば》
但馬《たじま》
長門《ながと》
安芸
備後
備中
美作《みまさか》
周防《すおう》
山陽道
備前
播磨
対馬
壱岐《いき》
筑前《ちくぜん》
豊前《ぶぜん》
肥前
筑後《ちくご》
淡路
讃岐
伊予
阿波
土佐
和泉
河内
肥後
豊後《ぶんご》
南海道
日向《ひゅうが》
西海道
薩摩
大隅《おおすみ》

第**1**章

旧石器時代～弥生時代

人類は動物や木の実をとって暮らしていたが、稲作の技術が伝わると人々の生活は大きく変わった。たくわえた食糧をめぐって争いがおこり、あちこちに小さな'クニ'が生まれたのだ。

57 倭の奴国王、後漢に入貢
金印を授かる
107 倭国王帥升ら、後漢に生口を献上
147 このころより倭国おおいに乱れる
239 卑弥呼、魏に遣使
親魏倭王の称号を授かる
266 倭の女王壱与、西晋に遣使

わずかな道具で獲物をしとめていた旧石器時代

現在日本とよばれている地域に、いつから人が住むようになったのかは明らかにされていないが、沖縄では3万2千年前の地層から人骨が発見されている。当時の地球は今より寒かったから、地上には氷河が多くあり、逆に海の水は少なかった。海面は今より100メートルくらい低く、日本列島と大陸が陸つづきだったほどだ。

人々はまだ農耕をおこなわず、金属の道具も使っていなかった。道具といえば打ち欠《か》いてつくった**打製石器**くらいで、まだ土器もなかった。磨いてつくった磨製《ませい》石器や土器が登場するのは、次の縄文時代なのである。そんなことからこの時代は、**旧石器時代**とよばれている。

打製石器にはいくつかの形があった。楕円形の石器を木の棒にくくりつけて斧としたものや、先端をとがらせた石器を木の棒の先につけて槍としたもの、石を丁寧に割ってナイフとしたものなどである。なかでも工夫が見られるのは、**細石器**《さいせっき》である。これはとがった木の両側に、細かな石の刃をいくつもはめこんだもので、刃が欠けるとその部分だけ取り替えてふたたび使えるスグレモノだ。

人々はこれらの打製石器を使い、大陸からやってきた**ナウマン象**や**オオツノジカ**などの大型動物を捕らえた。そしてあたり一帯の動物を捕りつくすと、違う場所に引っ越して、また狩りをおこなったようだ。だから住まいは、動物の皮などでつくった簡単なテントだった。

暖かくなって暮らしやすくなった縄文時代

今からおよそ1万年あまり前になると、地球が温暖化した。このため地上にあった氷河がとけて海面が上昇し、日本列島は大陸と切りはなされた。自然環境は大きく変化し、針葉樹林に代わって、東日本には落葉広葉樹林が広がった。おかげでドングリやクルミなどが採れるようになり、食生活は安定した。

同じころ人々は土器をつくりはじめた。これは食生活に画期的な影響をあたえた。木の実や肉などを、土器の鍋で煮炊きできるようになったのだ。器がなかった時代には、焼く以外の調理はしにくかっただろう。温かいスープが飲めるようになったというのは、ずいぶん人間らしい暮らしに感じられる。

広く日本を支配したヤマト政権の誕生

古墳には円形や四角形のものもあるが、**前方後円墳**とよばれるちょっと変わった形の古墳がある。これは上空から見ると、円の下に台形をくっつけた鍵穴のような形をしている。この独特な古墳をつくったのは、同じ政治勢力の有力者たちだと思われる。というのは、サイズは違えど相似形の古墳が各地にあり、古墳の表面に石がしきつめられ、周囲に**埴輪**《はにわ》という土器が並べられているという共通点があるからだ。

4世紀ころまでの前期古墳の副葬品には鏡や玉が多いため、葬られている人、すなわちその古墳をつくらせた人は、司祭者的な首長だと思われる。こうした有力者を豪族といい、この時期の大きな前方後円墳が大和に集中していることから、その政治連合を**ヤマト政権**という。

ヤマト政権は、大王家《おおきみ》（のちの天皇家）を中心とする豪族の連合で、豪族の序列にあわせて姓《かばね》という称号をあたえ、軍事や祭祀などの仕事を分担した。たとえば中央の豪族には臣《おみ》や連《むらじ》、地方豪族には君《きみ》という姓をあたえ、蘇我《そが》氏は財務、大伴《おおとも》氏・物部《もののべ》氏は軍事、中臣《なかとみ》氏は祭祀を担当した。この制度を**氏姓制度**《しせい》とよぶ。中央には大臣《おおおみ》と大《おお》連《むらじ》という役職があり、それぞれ臣、連の姓の豪族がついた。今でも「大臣」という言葉にそのなごりが見られる。いっぽう地方には国造《くにのみやつこ》などの役職があり、地方豪族が任命された。

大王も豪族も私有地や私有民をもっていた。ここでいう私有民とは奴隷のことではなく、一般農民のことである。ふつうの農民はどこかの豪族の支配下に属するものだったのだ。奴隷はそのさらに下におかれていた。

でっかい古墳をつくった5世紀の大王たち

古墳は、その後7世紀までつくりつづけられるが、5世紀の古墳を中期古墳という。この時期には非常に大きな古墳がつくられた。たとえば**大仙陵《だいせんりょう》古墳**（伝仁徳天皇《にんとくてんのう》陵《りょう》）は日本最大の古墳で、周囲には濠があり、そのまわりを歩いて一周すると40分もかかってしまう。クフ王のピラミッドや、秦《しん》の始皇帝《しこうてい》の墓よりも大きく、毎日2千人の人々を動員したとしても、つくるのに15年以上かかるという。ヤマト政権は、それだけの労働力を動員できるほどの力をもっていたのである。その力の大きさは文字史

海人皇子に逆らえる豪族は消えた。大海人皇子は飛鳥《あすか》浄御《きよみ》原宮《はらのみや》で即位して**天武天皇**となり、諸豪族の上に立って政治をはじめた。強大な権力を手にした天武天皇は、豪族の持つ私有地・私有民を奪い、ついに悲願だった**公地公民制**を実現させたのである。

天武天皇は律令国家建設に向けて積極的に取りくんだ。近江令に代わる飛鳥浄御原令の編纂《へんさん》を開始し、富本銭《ふほんせん》という貨幣をつくった。また、豪族よりも皇族を上位とする**八色《やくさ》の姓《かばね》**を定め、姓をあたえ直した。

天皇権威を高めようとしたことは、修史事業にもあらわれている。6世紀にできた『帝紀《ていき》』『旧辞《きゅうじ》』には誤りがあるとして、正しい歴史書をつくれと命じたのである。これはやがて『**古事記《こじき》**』や『**日本書紀**』に実を結ぶことになるが、その内容だけを真実だと鵜呑みにしたのでは、天武天皇の思惑どおりだろう。本当に正しい歴史というより、天武天皇にとって都合のいい歴史に違いないからだ。

夫のあとに妻が完成させた律令国家

天武天皇が亡くなったあとには皇后の**持統《じとう》天皇**が即位し、22巻からなる飛鳥浄御原令を実施した。飛鳥浄御原令自体は残っていないので、たしかなことはわからないが、ここには戸籍をつくり、それにもとづいて口分田《くぶんでん》を農民にあたえる**班田収授法**などが定められていた。その翌年、実際に戸籍がつくられ、口分田が班給された。ついに6年ごとに班田をおこなう制度が確立したのである。

そして694年には**藤原京**に都を移した。これは中国にならってつくった初めての都城で、のちにつくる平城京よりも大きなものだった。持統天皇の国家建設にかける意気込みが感じられる。

そうして701年、文武《もんむ》天皇のときに**大宝律令**《たいほうりつりょう》が制定された。これまでは行政法や民法にあたる「令」しかつくってこなかったが、これは刑法にあたる「律」もそろっていた。その編纂にあたったのは、天武天皇の子である刑部《おさかべ》親王《しんのう》と、中臣鎌足の子である**藤原**《ふじわらの》**不比等**《ふひと》たちだった。半世紀もかかった律令国家建設事業が、ここにようやく完成をみたのである。持統天皇は天智天皇の娘だったから、持統にとってはオヤジがはじめ、ダンナがあとをついだ改革を、孫の文武天皇の代に完成させたことになる。すべてを見とどけ、翌702年に持統天皇はこの世を去った。

農民を苦しめたさまざまな税

人々は、貴族や一般農民などの良民《りょうみん》と、奴隷身分の賤《せん》民《みん》に分けられた。6年ごとに戸籍がつくられ、それをもとに6歳以上の男女には**口分田**があたえられた。その大きさは良民・賤民の別や男女の別で異なったが、面積に応じて**租**《そ》とよばれる稲を税として納めなければならなかった。もっともその割合は収穫の3%にすぎなかったから、農民にとって重荷となったのは、それ以外の**庸**《よう》・**調**《ちょう》・**雑徭**《ぞうよう》・兵役などであった。

庸は、都での労働の代わりに麻布を納めるもので、調は絹などの特産物であった。これらははるばる都まで運ばなければならず、遠方の農民にとっては大変なことだったのだ。しかしそれを言うなら、もっと辛かったのは兵役だろう。九州の**防人**を命じられた場合は、3年間も

●律令の官制

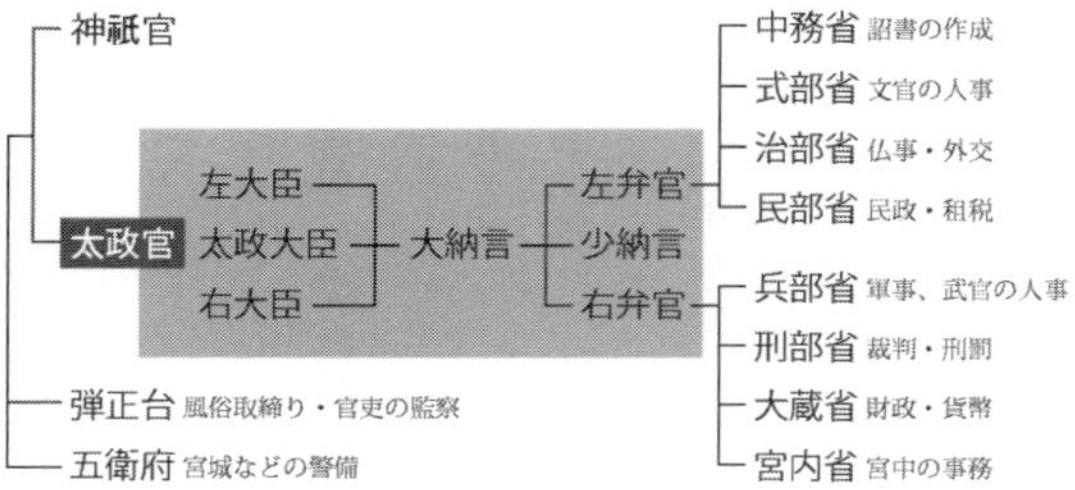

律令では役所のしくみをどう定めていたか

中央には、まとめて**二官八省一台五衛府《えふ》**とよばれる機関がおかれた。二官とは神祇官と太政官《だじょうかん》のことで、太政官の中には太政大臣、左大臣、右大臣などのえらい役職があり、国政を決定した。八省とは、中務省《なかつかさ》をはじめとする8つの省で、それぞれの職務を分担した。一台は弾正台《だんじょうだい》をさし、役人の監察などにあたった。五衛府とは衛門府《えもんふ》などのことで、宮城の警備にあたった。

日本列島全体は、都のある大和国などがある畿内と、東海道などの七道に分けられた(巻頭の地図参照)。中国や朝鮮への玄関となった九州北部は重要視され、「遠《とお》の朝廷《みかど》」とよばれた**大宰府《だざいふ》**がおかれた。ここはのちに、政争に敗れた貴族の左遷先となる。

全国には66の国があり、各国には**国司**に任命された貴族が派遣された。国の中はいくつもの郡に区切られ、地方豪族が**郡司**に任命されて徴税などにあたった。郡の中はいくつもの里で区切られ、1里は50戸で構成された。

役人になるには位階が必要で、位階の高さに応じて官職が決まる**官位相当の制**があった。位階は、大学や国学で学んで試験に受かれば得られたが、一般の農民は通えなかった。また、五位以上の貴族の子には、自動的に位階があたえられる蔭位《おんい》の制があったため、貴族は特権階級にありつづけた。

つとめなければならなかった。

ところで、租以外の税はおもに成人男子にだけ課税されたから、やがて戸籍上の性別を男が女と偽ることが増えていった。いつの世も、人々が税を逃れようとするのは同じなのである。

第**3**章

奈良時代

奈良の都の平城京で、藤原氏をはじめとする貴族たちが代わるがわる政権を奪いあった。天皇らが仏教をあつく信仰したせいで、仏教勢力も政治に介入した。土地公有の原則は早くもくずれ、私有地である荘園が生まれた。

710　平城京に遷都
711　蓄銭叙位令
712　『古事記』完成
718　藤原不比等ら、養老律令をまとめる
720　『日本書紀』完成
722　百万町歩開墾計画
723　三世一身法施行
724　陸奥国に多賀城をきずく
729　長屋王の変
　　光明子、聖武天皇の皇后となる
737　藤原四兄弟死亡
740　藤原広嗣の乱
　　恭仁京に遷都
741　国分寺建立の詔
743　墾田永年私財法制定
　　大仏造立の詔
744　難波宮に遷都
　　紫香楽宮に遷都
745　平城京にもどる
752　大仏開眼供養
757　養老律令施行
　　橘奈良麻呂の変
764　恵美押勝(藤原仲麻呂)の乱
769　宇佐八幡宮神託事件
770　道鏡を下野薬師寺別当に追放
784　長岡京に遷都

「なんと《710》大きな平城京」はホントに大きかった

文武天皇が亡くなると、皇子が大きくなるまでのつなぎとして女性の天皇が2代つづいた。元明《げんめい》天皇と元正《げんしょう》天皇である。文武天皇の母であった**元明天皇**は、７１０年、都を**平城京**に移した。これがおよそ80年間つづく奈良時代のはじまりである。

平城京は現在の奈良市につくられた都で、南北の長さはおよそ５㎞もあり、端から端まで歩くと1時間もかかる。そこに10万人以上の人が住んでいた。北部に置かれた大内裏には、天皇の私的スペースである内裏と、大勢の役人が働く官庁がたちならんでいた。なかでも重要な儀式をおこなう大極殿《だいごくでん》はかなり大きなもので、高さは9階建てのビル並みであった。大極殿は２０１０年に、遷都１３００年を記念して復元された。実際に訪れてみると、建物の大きさも面積の広さも、想像以上で驚かされる。

都では**和《わ》同《どう》開《かい》珎《ちん》**というお金が流通していた。これは７０８年に鋳造された貨幣で、都の造営にかり出された人夫への支払いにあてられた。今にたとえれば５００円硬貨をつくるためのコストは５００円以下ですむので、その差額が国家の収益になったわけだ。もっとも、地方では貨幣はなかなか普及せず、米や布がお金代わりに使われつづけた。

正史で悪者扱いされた長屋王《ながやおう》

奈良時代は、藤原氏とそれ以外の人が交互に政権をにぎった時代だった。最初の政権担当者は、大宝律令制定に功のあった**藤原不比等《ふひと》**である。その後、不比等は大宝律令をわずかに改定した養老《ようろう》律令をつくり、亡くなった。

代わって政権をにぎった**長屋王**は、農民にあたえる口分田の不足をおぎなうため、**三世一身法《さんぜいっしんのほう》**を制定した。これは開墾した土地を一定期間私有してよいと認めた法令で、農民に開墾を奨励したものだった。

●平城京

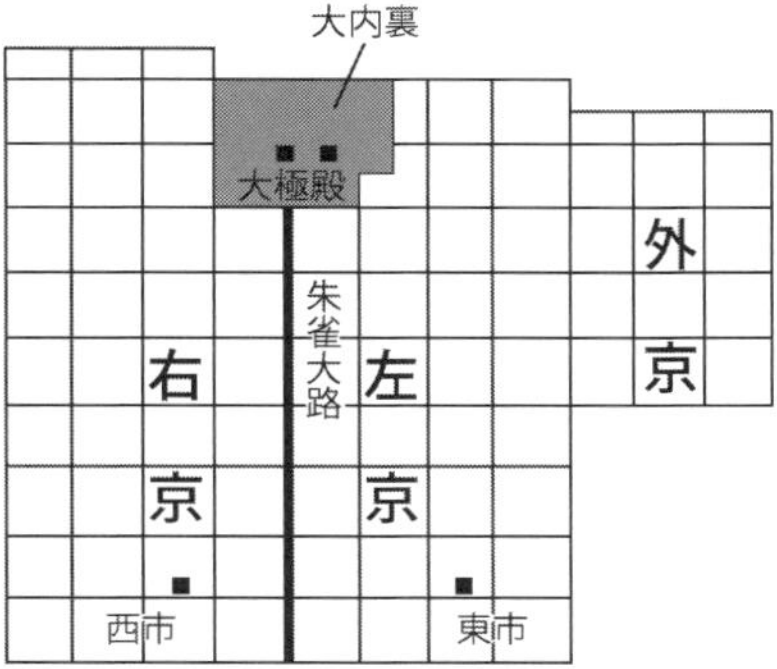

不比等
- 南家　武智麻呂
- 北家　房前
- 式家　宇合
- 京家　麻呂

ところで、このころ不比等の息子にあたる藤原四兄弟が、妹の**光明子**《こうみょうし》を**聖武**《しょうむ》**天皇**の皇后にしようと画策していた。従来、天皇の正妻の座である皇后には、皇族しかなれなかったのだが、それを曲げようとしていたのである。これに皇族の長屋王は反対した。長屋王は壬申の乱に勝利した天武天皇の孫で、天皇になる可能性さえもあった人物である。皇族以外が皇后になるなんて許せなかったのだ。こうして四兄弟と長屋王はぶつかった。

729年、四兄弟は長屋王を襲って自殺させた。その半年後に光明子を皇后に立て、政権をにぎったのである。この事件は**長屋王の変**とよばれ、平安初期に編纂された『続日本紀《しょくにほんぎ》』には、長屋王が「国家を傾《かたむ》けんと」していたから自殺させたと書かれている。まるで謀《む》反人《ほんにん》扱いだが、別の史料からは長屋王が無実だったことがうかがわれる。『続日本紀』は正史ではあるが、藤原氏の権力下で編纂されたものだ。そのまま鵜呑みにしたら藤原氏の思うツボにはまってしまう。

勝手にライバルが消えてトクした橘《たちばなの》諸兄《もろえ》

長屋王をなきものにした四兄弟は、その8年後、流行した天然痘によってあいついで亡くなった。このとき太政官の主要メンバーが壊滅状態となり、生き残っていた**橘諸兄**が政権をにぎることになった。諸兄は光明皇后（藤原光明子）の異父兄にあたる人物だったため、トップに立ちやすかったのだ。ある意味、棚からぼた餅的にトクした人なのである。

諸兄は中国留学から帰国した玄昉《げんぼう》・吉備真備《きびのまきび》をもちいて政治をおこなったが、これに反発した藤原広嗣《ひろつぐ》は大宰府で反乱をおこした。藤原氏の劣勢を挽回しようとしたのである。

反乱は鎮圧されたが、疫病や飢饉もあって聖武天皇は動揺した。5年間にわたって恭仁京《くにきょう》・難波宮《なにわのみや》・紫香楽宮《しがらきのみや》と都を転々とうつしたほどだ。

美努王 ＝ 県犬養三千代 ＝ 藤原不比等

橘諸兄（美努王と県犬養三千代の子）

光明子（県犬養三千代と藤原不比等の子）

道鏡に皇位をゆずろうとしたのである。ラブラブにもほどがあるってものだ。

天皇を天武系から天智系に変えて改革だ！

称徳天皇が亡くなると、支えを失った道鏡は失脚した。代わって藤原式家の**藤原百川**《ももかわ》が政権をにぎった。百川は政治を刷新するため、今までの天皇とは血統の違う**光仁天皇**《こうにん》を擁立した。壬申の乱後、天皇の座は長らく天武天皇系で占められてきたが、今回は天智天皇の孫を引っぱり出してきたのだ。大化の改新でも、人と都を変えて改革をはかったように、まずトップの天皇を変えたのである。こののちには、いよいよ都を奈良から京都へ変えて、改革がはじまる。

第**4**章

平安時代

平安京に移って国家体制の立て直しをはかったが、公地公民制のゆるみはピークに達し、律令制は崩壊した。やがて武士が中央政界に進出しはじめ、平安末期にははじめての武家政権があらわれた。

794　平安京に遷都
810　平城太上天皇の変
842　承和の変
858　藤原良房、摂政となる
866　応天門の変
884　藤原基経、関白となる
894　遣唐使廃止
901　菅原道真を大宰権帥に左遷
　　延喜の治
902　延喜の荘園整理令発布
935　承平・天慶の乱はじまる(～941)
947　天暦の治
969　安和の変
1016　藤原道長、摂政となる
1051　前九年合戦
1069　延久の荘園整理令
1083　後三年合戦
1086　白河上皇、院政開始
1156　保元の乱
1159　平治の乱
1167　平清盛、太政大臣となる
1177　鹿ヶ谷の陰謀
1180　治承・寿永の乱
　　福原京に遷都
　　源頼朝・源義仲挙兵
1185　壇の浦の戦いで平氏滅亡
　　頼朝、守護・地頭任命権獲得

1分で納得!

平安時代

律令が制定されて80年も経つと、何かとほころびが目立ってきた。そこで奈良時代末期から、律令制を再建しようとする動きが起こった。そうしたなかで**桓武天皇**《かんむ》は、都を平城京から長岡京にうつし、さらに10年後の794年、**平安京**にうつした。

第四章では、これにはじまるおよそ四百年間の平安時代を紹介する。奈良時代の5倍もの長さがあるため、大きく3つの時代に分けてとらえるとよい。

1つめは、平安初期の律令制再建の時代である。令外官《りょうげのかん》とよばれる新たな官職が置かれたり、制度が改められたりしただけでなく、格・式の法典も整備された。

2つめは、平安中期の藤原北家が台頭し、やがて摂政や関白などを独占するようになった時代である。藤原氏はライバル貴族を蹴落《けお》としながら、着実に権力の階段をのぼっていった。いっぽうで遣唐使を廃止するなど、中国の文物を取り入れようとはしなくなり、政治への積極性もうすれた。さらに10世紀に入ると班田収授もおこなわれなくなり、律令制は崩壊した。

3つめは、平安後期の院政の時代である。この時期は、天皇を引退した**上皇**《じょうこう》が、長期にわたって専制的な政治をおこなった。中世の土地制度のベースとなる荘園公領制が確立したのもこの時代である。そして末期には、武士の**平清盛**《たいらのきよもり》をリーダーとする平家一門が政権の中枢をしめるようになり、武家政権の幕をひらいた。

平安時代の大まかな流れ

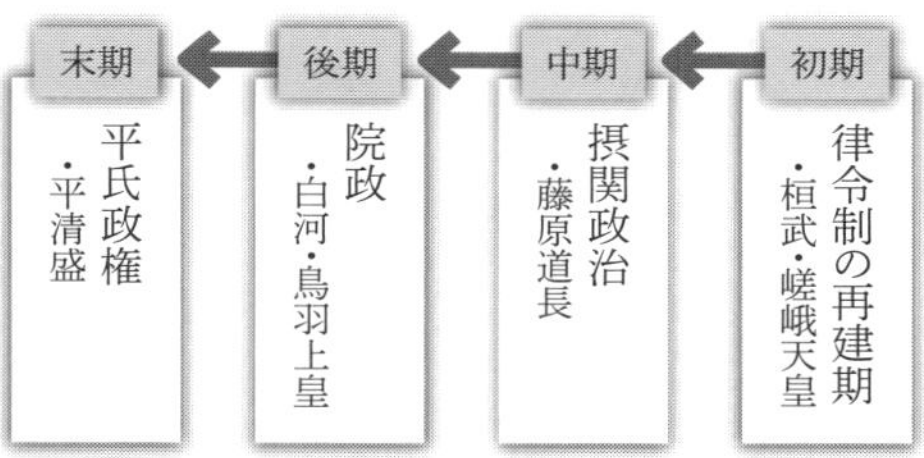

長岡京、それは呪われた都

奈良時代末期の光仁天皇のあと、子の**桓武天皇**《かんむ》が即位し、さまざまな改革をおこなった。その子の嵯峨《さが》天皇も改革をすすめたから、奈良末期から平安初期までは、律令制の再建期だったといえる。

784年、桓武天皇はまず都を**長岡京**にうつした。いよいよ奈良をはなれて改革をすすめようとしたわけだ。とりわけ、奈良時代には宗教勢力が政治に介入してくることが多かったから、新しい都には官立の寺院以外は置かないようにした。

しかし、いつの時代にも改革に反対する勢力は存在する。改革によって自分の今の地位が危うくなる人たちだ。そうした人たちによって、新都の造営長官であった藤原種継《たねつぐ》が暗殺された。このとき桓武天皇は、皇太子であった弟の**早良親王**《さわら》のことを、犯人と関係しているのではないかと疑った。改革反対派は桓武天皇を引きずりおろしたいのだろうから、「次期天皇を抱き込んでいるだろう」と考えたのである。

疑念を抱いた桓武天皇は、弟の早良親王を淡路島に流したが、逆に弟は身の潔白を主張してハンガーストライキをおこなった。そして、そのまま死んでしまったのである。これはまずいことになった。そこまで必死になって無実を主張したということは、本当に弟はシロだったかもしれない！

この事件後、桓武天皇の妻や母が死ぬなど、不吉なことがあいつぐと、人々はそれを早良親王の怨霊のしわざだと考えるようになった。

怨霊が怖くなった桓武天皇は、結局、都をうつすことにした。長岡京遷都からちょうど10年後の794年、現在の京都市にあたる**平安京**に遷都したのである。

百済人を母にもつ桓武天皇の改革

桓武天皇の改革のひとつに**勘解由使**《かげゆし》の設置がある。これは国司が交代するときに不正をなくそうとした政策であった。当時、各国には中央から国司が派遣されていた。そして、交代の際には引き継ぎ作業が完了したことを証明する文書を、新任の国司が書くことになっていた。この証明書を解由状《げゆじょう》といい、前任者はこれを中央の太政官に提出しないと、次の仕事につくことができないしくみだったのである。

この新任者が前任者の仕事ぶりを確認するというやりかたは、なかなか良いシステムに見えるが、大宝律令制定から約100年が経ち、さすがにほころびが出てきてしまっていた。どういうことかというと、仕事をサボっていた国司は解由状がもらえないから、新任者にワイロを贈って解由状を出してもらう不正が増えたのである。これではいけない。そこで、解由状をチェックする機関の勘解由使が置かれたのである。

もっともその後は、勘解由使にワイロを贈る不届き者も出てきた。そう簡単に人間社会からワイロはなくならないのだ。

ほかにも桓武天皇は、農民の負担をやわらげる改革をいくつもおこなった。労役負担や兵役負担を減らしたり、10年以上続いていた平安京造営事業を中止したのである。一度はじめた建設事業をやめるなんて、現代の政治家にはめったにできないことである。天皇と言っても、リーダーシップをとれた人はそれほど多くはない。桓武天皇はそのめずらしい天皇の1人といえる。

政権奪還をたくらんだのは薬子《くすこ》?

桓武天皇のあとには、子の3兄弟が天皇となった。最初の**平城天皇**《へいぜい》は、病のためわずか3年で弟の**嵯峨天皇**に譲位した。ところが、病が回復すると再び天皇になることをめざし、平城京への遷都も画策した。寵愛していた**藤原薬子**らとともに政権奪回をはかったのである。弟の嵯峨天皇は軍を派遣し、上皇側の動きをおさえこんだ。平城上皇はこれにより失脚し、薬子は自害した。

この事件はこれまで「薬子の変」とよばれてきたが、真の主役は平城上皇であるため、最近の教科書では**「平城太上天皇の変」**ともよぶものも出てきている。また、事件の際、嵯峨天皇は情報漏洩を避けるため、**蔵人頭**《くろうどのとう》という官職を新たに設置した。これは天皇の秘書官のような立場でもあり、藤原北家の冬嗣《ふゆつぐ》が任命された。これが北家がさかえていくきっかけとなったのである。いっぽう薬子は藤原式家の女性だったので、逆に式家は没落した。藤原氏といえどもみんな仲良しというわけではないのだ。

桓武天皇
- 平城天皇
- 嵯峨天皇
- 淳和天皇

チャイニーズファンな嵯峨天皇の改革

嵯峨天皇は空海とならぶ書道の達人で、唐様の書風で、平安京の左京と右京をそれぞれ洛陽城、長安城とよぶなど、中国好きな天皇であった。その後「洛」は京都の別名となり、今でも「洛北」とか「洛東」などの地名にのこっている。

嵯峨天皇がおこなった改革の1つに、警察・司法機構の改革がある。大宝律令では治安関係の仕事がいくつもの官庁にまたがっており、うまく機能しなくなっていた。そこで、京都の治安をになう**検非違使**《けびいし》を新たに設置したのである。やがて検非違使は、大きな権限をもつ機関となっていった。今で言うところの省庁再編である。

この間に出てきた勘解由使や蔵人頭や検非違使は、総称して**令外官**《りょうげのかん》とよばれる。律令の外に追加された官という意味である。平安初期には令外官の設置が目立つが、これこそがまさに律令制の再建策だったからだ。

嵯峨天皇はほかにも追加法令の整理をさせている。律令制定後、朝廷は「格《きゃく》」とよばれる追加法令や、「式」とよばれる細かい規則をたくさん定めていた。これを整理したものが、弘仁格式《こうにんきゃくしき》・貞観《じょうがん》格式・延喜《えんぎ》格式のいわゆる**三代格式**で、嵯峨天皇はその最初のものを編纂させたのである。

出世のキホンは、コネづくりとライバル排斥

藤原冬嗣の子孫たちは娘を天皇に嫁がせて、生まれた皇子を天皇に擁立することに力を注いだ。天皇の母方の親戚、すなわち外戚《がいせき》となることで、権力の座をつかんでいったのである。たとえば冬嗣の子の**良房**《よしふさ》は、娘が生んだ皇子をわずか9歳で即位させ、自分はおじいちゃんとして政治を代行したのだ。そうした幼い天皇を補佐する立場を**摂政**《せっしょう》という。さらに成人した天皇であっても、補佐する立場が置かれるようになった。こちらは**関白**《かんぱく》とよばれる。藤原北家は摂政・関白の地位を独占したため、やがて**摂関家**とよばれるようになった。

藤原北家は天皇家との外戚関係を築くいっぽうで、他氏排斥もすすめていった。ライバルの貴族を、あの手この手を使って蹴落としていったのである。なかでももっとも有名な他氏排斥事件は901年におきた**昌泰**《しょうたい》**の変**だろう。これは**菅原道真**《すがわらのみちざね》が醍醐《だいご》天皇の廃位をたくらんだとして、左遷に追い込まれた事件である。ワナにはめられた

道真は、2年後、左遷先の大宰府で失意のうちに亡くなった。とびきりの頭の良さで右大臣にまでのぼった道真だったが、権謀術数に長《た》けた藤原北家にはかなわなかったのである。

その後、藤原氏の1人が落雷で亡くなるなど不吉なことが連続すると、道真の怨霊だとの噂が広まった。そこで、呪いをおそれた醍醐天皇は、道真を神として祀ることでその怒りを鎮めようとした。現在、道真が学問の神様として天満宮に祀られているのはこのためである。今や合格祈願のメッカで、毎年受験シーズンになると、大宰府と京都北野の天満宮は受験生たちでにぎわっている。

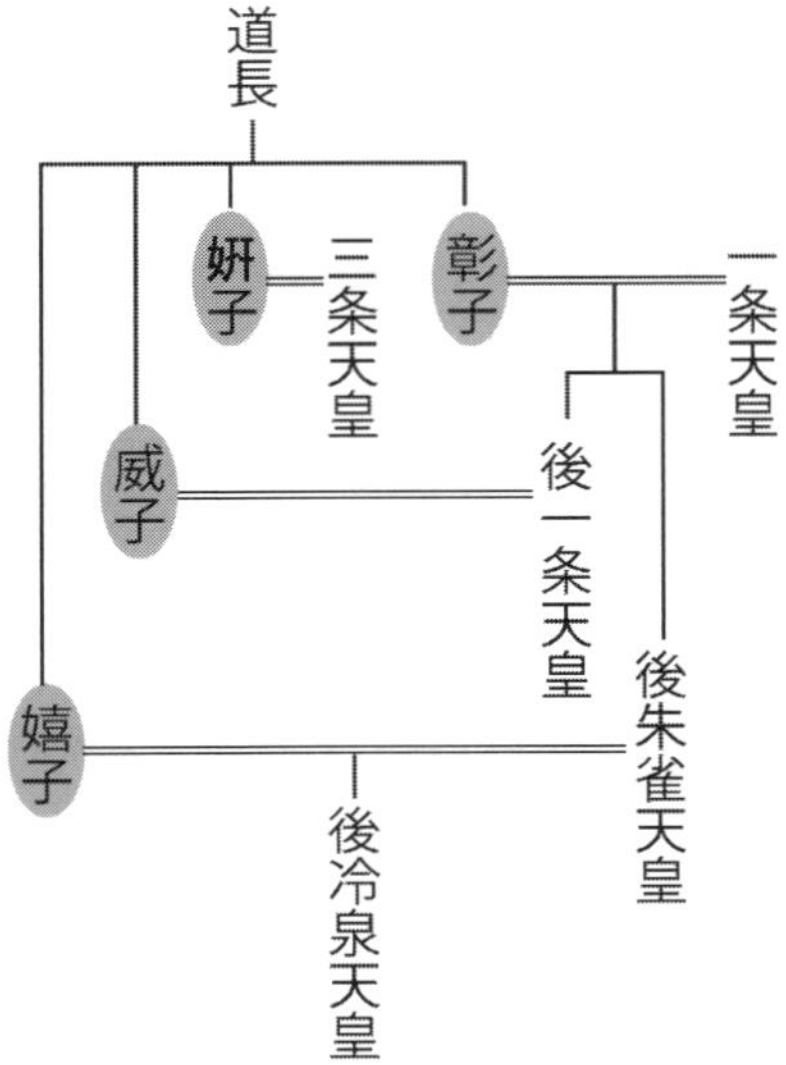

律令国家が崩壊するなか、栄華を極めた藤原道長《みちなが》

9世紀後半から11世紀半ばまでは、長く摂関政治の時代といえるが、その間に一時期だけ天皇親政の時代があった。摂政・関白を置かずに、天皇がみずから政治をおこなった時代である。醍醐天皇の**延喜の治**と、その子の村上天皇による**天暦《てんりゃく》の治《ち》**だ。この時期を最後に、班田や貨幣の鋳造はおこなわれなくなり、律令国家らしい政治は姿を消すこととなった。

延喜・天暦の治のあと、ふたたび摂関家がもりかえし、安和《あんな》の変で醍醐天皇の皇子であった源《みなもとの》高明《たかあきら》が左遷に追い込まれた。それ以後、常に摂政もしくは関白が置かれるようになり、今度は摂関家内部でトップの座をめぐる争いがおきた。

その争いに勝利したのが**藤原道長**だった。道長は、4人の娘をつぎつぎと天皇に嫁がせ、生まれた皇子を順に天皇に即位させていった。3人めの娘が皇后となったときには、1つの家から3人も皇后が出たということで、お祝いの宴が催された。そのときに道長は「この世をばわが世とぞ思ふ望月のかけたることもなしと思へば」と歌っている。「この世は私の世だと思う」なんてことを、人前で堂々と歌える厚顔無恥っぷりには啞然とするほかない。

荘園と武士が生まれたワケ

重い税負担をきらって本籍地から逃げ出したり、戸籍を偽ったりする農民が増えていくと、国家は農民を把握できなくなった。このため10世紀には班田収授をあきらめ、**田堵**《たと》とよばれる有力農民に、一年契約で田地を請負耕作させるようになった。その田地は名《みょう》とよばれ、国司は名の面積に応じて課税した。

この田堵のなかから、11世紀になると積極的に土地を開墾して**開発領主**とよばれる者があらわれた。これは今でいう大農場経営者のようなもので、何人もの手下を使って農業をおこなった。やがて開発領主が、国司にむかって「この土地をオレのものだと認めてくれ」と主張するようになると、国司はそれを認めていった。土地が広がることは、それだけ税収が増えることになるから、国司にとってもこれは悪い話ではないからだ。

自分の土地を大きくしたい開発領主は、他の領主とぶつかりあうこともあったから、まもなく武装するようになった。最初のころの武士は、このように農業経営のかたわら、自分の所領を守るために戦う存在だったのだ。

そして彼らのなかから、国司よりももっとエライ貴族や寺社に、土地の権利を認めてもらおうとする者が出てきた。自分の土地をエライ人に差し上げて、自分はその保護のもとで、土地の管理人におさまろうというわけだ。エライ人なら、国司に税を納めなくてすむ**不輸**《ふゆ》の権を獲得できる。そうなれば今まで国司に納めていたお米を、エライ人のほうに納めることができる。国司は開発領主をみな平等にあつかったわけではないから、国司から不利なあつかいを受けると、こんな行動に出ることがあったのである。

この土地は**寄**《き》**進**《しん》**地**《ち》**系**《けい》**荘**《しょう》**園**《えん》とよばれ、その管理人を荘官《しょうかん》といった。

こうして平安後期には、一つの国はいくつもの荘園とそれ以外の公領で構成される形となった。それぞれの管理人は武士化した開発領主層である。彼らは都から下ってきた源氏や平氏を棟梁《とうりょう》とあおぎ、武士団をつくるにいたる。とりわけ、関東には、源氏を棟梁とする武士団ができていくのだ。

ところで荘園と公領のなかは、それぞれいくつもの名に区切られていた。その名の耕作を一年契約で請け負っていた田堵は、やがて名の支配権を認められ、名の主、すなわち**名主**《みょうしゅ》となった。武士は名主から年貢を徴収し、一定額を荘園領主もしくは国司に納めて、のこりを自分の収益としたのである。

摂関家からの圧力をものともしなかった後三条天皇《ごさんじょう》

藤原道長の孫は3人も天皇になったが、3人目の後冷泉《ごれいぜい》天皇が亡くなると、摂関家の外孫で天皇になれるような皇子がいなくなってしまった。道長の子の**頼通**《よりみち》には実の娘が1人しかおらず、彼女を天皇家に嫁がせても皇子が生まれなかったのだ。

弾切れではしょうがない。摂関家と直接かかわりのない皇子が即位することになった。**後三条天皇**である。これでは摂関家も分が悪い。たとえ摂政・関白の座にあっても、天皇の外戚でなければ権力がふるえないのだ。こうして摂関家は下り坂に入っていくことになった。

もっとも頼通としては十分幸せな人生だったかもしれない。なにしろこのときまで

50年もトップの座にあったのだから。最近の日本の首相なんて、1年経つか経たないかでチェンジしてしまうほどなんだから、期間の長さだけで比べてもその勢力はとんでもないものだったのだろう。

さて後三条天皇は、摂関家に気をつかうことなく政治をおこなえた。たとえば、摂関家の荘園であっても一定の基準をクリアしていなければ、禁止する法令を出したのだ。**延《えん》久《きゅう》の荘園整理令**である。「荘園整理」とは、私有地となっている荘園を公領にもどし、国に税を納めさせることだ。これでは、摂関家が今までその権力を駆使して脱税してきた土地が、実質的に奪われてしまう。こんなことができたのは、摂関家にしがらみのない天皇だからなのだ。

天皇ＯＢによるフリーハンドな政治がはじまった

後三条天皇のあとには、その子の**白河天皇**が即位した。白河天皇は１０８６年に子の堀河天皇に皇位を譲って、自分は天皇ＯＢである上皇（院）となった。のちには出家して、法皇となって政治をおこなった。こうした上皇や法皇による政治を**「院政」**

案の定、後白河法皇の側近の貴族たちが、平氏打倒の計画を立てはじめた。清盛はそれを見つけて処罰し、後白河法皇も幽閉してしまった。そのうえ自分の孫を天皇に立てたのだ。娘の徳子が生んだ**安徳天皇**《あんとく》（3歳）である。いくらなんでもやりすぎだ。こうして天皇の外祖父となったところも、藤原道長らの摂関政治に似ていると言える。安徳天皇が即位したことで、後白河法皇の子の以仁王《もちひとおう》は、天皇になる道を断たれてしまった。以仁王は平氏打倒の令旨を発し、それをうけて源頼朝や源（木曾）義仲《よしなか》らが挙兵した。このとき1180（治承4）年。壇の浦の戦いまで5年間つづく源平の争乱、**治承**《じしょう》**・寿永**《じゅえい》**の乱**のはじまりである。

頼朝の命をうけた牛若丸・義経《よしつね》が平氏を圧倒！

伊豆に幽閉されていた**源頼朝**は、**北条**《ほうじょう》**時政**《ときまさ》に監視されていた。北条氏は平氏の血を引く武士だったが、どういうわけかその娘の政子と頼朝がデキてしまい、頼朝はこの北条氏を味方につけて挙兵したのである。頼朝がどう口説いたのかも気になるが、こんな結婚を認めた北条時政も、人を見る目があるものだと感服させられる。

こうして挙兵した頼朝は、今の神奈川県小田原市でおこなわれた石橋山の戦いでは平氏に敗れたが、富士川の戦いには勝利した。その後は鎌倉に腰をおろして、自らは幕府の基盤づくりにいそしみ、弟の**義経**（いわゆる牛若丸）らに平氏との戦いをやらせたのである。

もっとも、平氏に戦いを挑んだ源氏たちは、一致団結していたわけではない。信濃で挙兵した**源（木曾）義仲**は、北陸経由で京都に攻め込み、平氏を追い出した功により征夷《せいい》大将軍《たいしょうぐん》に任命された。すると先を越された源頼朝は、弟の義経に命じて、なんと義仲を討たせたのだ。平氏を討つよりも先に！

その後西国へ落ちのびる平氏を、義経たちは追いかけた。今の兵庫県神戸市あたりでおこなわれた一の谷の戦いでは、源義経が断崖を馬で駆け降りた鵯越《ひよどりごえ》の奇襲が有名だ。つづいて、今の香川県高松市では屋島の戦いがおこなわれた。義経はここでも平氏を破り、最後に今の山口県下関市でおこなわれた**壇の浦の戦い**で、ついに平氏をほろぼした。平清盛が太政大臣になってからここまでわずか18年。「栄枯盛衰」とはまさにこのこと。短い平氏政権であった。

ところで壇の浦の戦いでは、幼い安徳天皇が海に飛び込んで亡くなった。母の徳子も入水したが、源氏の兵にかきあげられて死ねなかった。このため彼女は、その後30年近くの余生を仏門に捧げ、一生を終えた。

第5章

鎌倉時代

源頼朝が平氏を滅ぼして幕府を開いた後、妻の一族である北条氏が代々政権をにぎった。貴族とは異なる武士のための法典を作るなど、武家政権を安定させたが、しだいに専制化し、御家人の反発を招いて滅んだ。

1192	頼朝、征夷大将軍となる
1199	頼朝死去
1203	源実朝、将軍となる
1213	和田合戦
1219	将軍実朝、公暁に暗殺される
1221	承久の乱 六波羅探題設置
1224	北条泰時、執権となる
1225	連署・評定衆設置
1226	藤原頼経、将軍となる
1232	貞永式目（御成敗式目）制定
1247	宝治合戦
1249	引付（衆）設置
1252	宗尊親王、将軍となる
1268	高麗使、フビライの国書をもたらす
1274	文永の役
1275	異国警固番役
1276	博多湾岸に防塁をきずく
1281	弘安の役
1285	霜月騒動
1297	永仁の徳政令発布
1317	文保の和談
1321	後醍醐天皇親政
1324	正中の変
1331	元弘の変
1332	後醍醐天皇、隠岐に配流

ろう。対する日本の武士はこの戦いで功績をあげて、ほうびとして所領を得たいという思いが強くあった。「一生懸命」という言葉は、もともと武士が命をかけて所領を守る「一所懸命」という言葉から来ている。その奮戦するさまは『蒙古襲来絵巻』に残されている。

もっとも、期待していたほうびはほとんどもらえなかった。何しろ承久の乱とは違って防戦だけの戦いだったから、所領は1つも奪っていないのだ。

将軍家の家臣よりも力を持った、得宗家《とくそうけ》の家臣たち

執権という役職には必ずしも北条本家の者がついたわけではなかった。たとえば北条時頼《ときより》が病気になって30歳で執権をやめたとき、子の時宗はまだ6歳だった。これでは職務がつとまらないため、分家の者が執権となったのである。しかし、元からの服属要求があったとき、「この一大事にトップに立つのは本家の主人であるべきだ」と、まだ18歳だった時宗が執権に就任した。

この北条本家の嫡流を**得宗**といい、その立場が重んじられると、執権や評定衆によ

る合議政治ではなく、得宗とその私的な家臣である**御内人《みうちびと》**が政治を動かすようになった。御内人は得宗の家臣であるため、将軍と直接主従関係があるわけではない。そんなヤツらが政治を動かすことに、有力御家人たちは腹を立てた。こうして１２８５年、御内人のリーダーであった平頼綱《たいらのよりつな》と、有力御家人の安達泰盛《やすもり》がぶつかった。この**霜《しも》月《つき》騒動**で平頼綱が勝つと得宗専制政治が強まり、そのうえ全国の守護の半数が北条氏で独占されるようになった。

借金のカタに取られた土地が、タダでもどってくる徳政令

御家人の不満は経済面でもたまっていた。蒙古襲来の恩賞が少なかったうえに所領の細分化で経済的に苦しくなった御家人は、借金に手を出していた。そして返済できなくなると、担保となっていた所領が奪われていった。

そこで幕府は１２９７年に**永仁《えいにん》の徳政令**を発した。「高利貸業者が奪った御家人の所領はタダでもどしてやれ」といったのだ。中世には「所領は元の持ち主にもどすべきだ」という感覚があったようだが、それにしてもカネを貸した側はたまったものじ

ゃないはずだ。世間であたりまえとされていることが、時代によってこんなに違うことに驚かされる。

「為替《かわせ》」のしくみが整ったのは鎌倉時代！

鎌倉時代には、人々がにぎわう交通の要地や寺社の門前などで、定期市がひらかれるようになった。なかでも月に3回ひらかれるものを三斎市《さんさいいち》といい、これが室町時代には月6回の六斎市に発展した。京都などの都市では常設店舗の見世棚もあらわれ、地方では行商人がさまざまな品物を売り歩くようになった。

売買の際には中国から輸入された**宋銭《そうせん》**が用いられ、荘園から領主に納められる年貢も、米ではなく銭で納入することがはじまった。荘官や地頭が農民から徴収した米を市で販売して銭納するわけだが、遠いところに住む領主に現金を運ぶのは危険がともなった。そこで現金の代わりに手形でやりとりする**為替**というしくみが利用された。鎌倉時代の段階で、すでに金融業者のネットワークができていたのだ。

第6章

南北朝～室町時代

政権が天皇のもとへもどったのもつかの間、足利尊氏が京都に幕府を開いた。しかし将軍の力は弱く、逆に守護大名らが領国支配を強めていった。応仁の乱が全国に飛び火すると、戦国乱世の幕が開いた。

1333	鎌倉幕府滅亡 後醍醐天皇、京都に還幸
1334	建武の新政
1335	中先代の乱 足利尊氏挙兵
1336	建武式目制定 後醍醐天皇、吉野に移る
1338	足利尊氏、征夷大将軍となる
1342	尊氏、天竜寺船を元に派遣
1350	観応の擾乱（～52）
1352	半済令発布
1378	足利義満、室町に花の御所建設
1391	明徳の乱
1392	南北朝の合体
1394	義満、太政大臣となる
1399	応永の乱
1401	義満、明に遣使
1404	勘合貿易開始
1411	足利義持、勘合貿易中断
1419	応永の外寇
1428	正長の土一揆
1429	播磨の土一揆 尚巴志、琉球王国建国
1432	足利義教、勘合貿易再開
1438	永享の乱
1441	嘉吉の乱 嘉吉の土一揆
1467	応仁の乱はじまる

1分で納得！

南北朝～室町時代

鎌倉時代末期に登場した**後醍醐天皇**《ごだいご》は、天皇親政をめざして幕府を倒した。この章では、そこから15世紀後半に戦国の世がおとずれるまでの、おもに室町時代を見ていこう。

この時代は、あいだに**南北朝時代**をはさむなど時代区分がわかりにくい。ときには3つの勢力が争うなど、単純に1つの政権がつづいたわけではないことに注意しよう。

後醍醐天皇がおこなった**建武**《けんむ》**の新政**は、わずか3年たらずで崩壊した。**足利尊氏**《あしかがたかうじ》が別の天皇を立てて室町幕府をおこしたからだ。ところが、後醍醐天皇も奈良県の吉野にうつって「自分こそが天皇だ」と主張したから、京都の北朝と吉野の南朝の2つが対立する形となった。

この南北朝の動乱はおよそ60年にもおよび、3代将軍**足利義満**《よしみつ》がようやく南北朝を統一させた。義満は有力守護大名を倒して、将軍権威を高めようとしたが、6代将軍義教《よしのり》は逆に守護大名に殺され、将軍権威はゆらいだ。

さらに8代将軍義政の時代には、**応仁《おうにん》の乱**がおこって幕府の権威は失墜する。

室町時代の時期整理

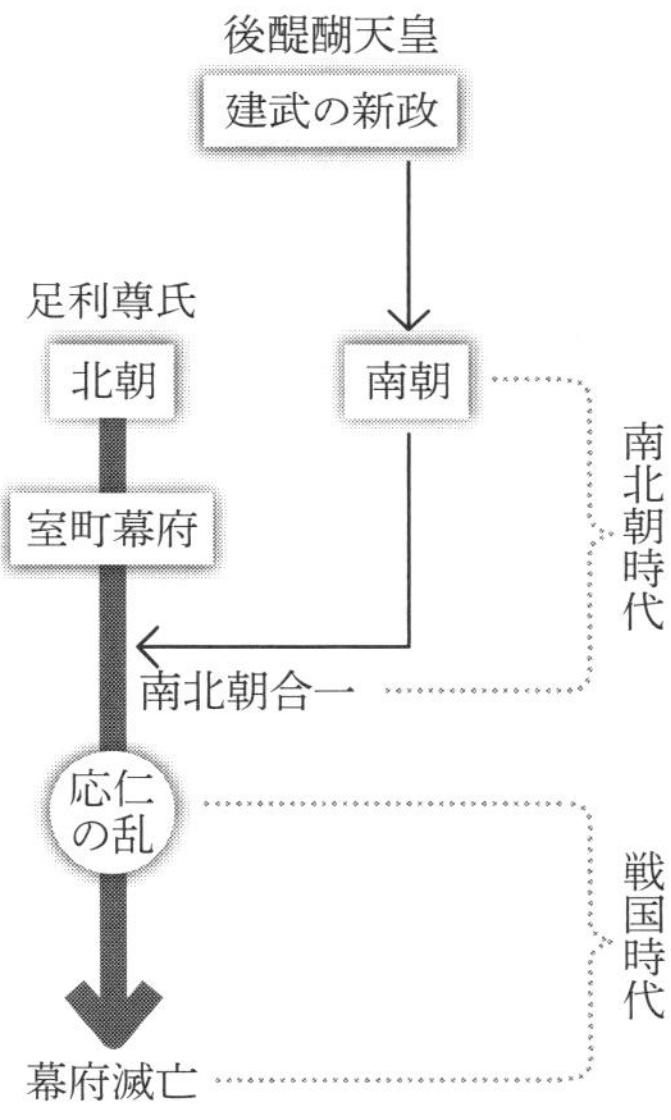

て違反者を処罰したり、みずから村でまとめて年貢を納入したりすることである。これらは今まで地頭や荘官がおこなってきたことだ。惣村のモトとなったのは、神社の祭礼をおこなう氏子《うじこ》組織の宮座だった。

こうした動きの背景にあったのは、農村における生産力の向上だった。暮らしに追われているばかりでは、自治をおこなう余裕なんて生まれない。ところが鎌倉後期から二毛作がはじまり、室町時代には先進地域で三毛作もはじまった。鉄製農具の普及ともあいまって農村は力をつけていった。土地を借りていた作人のうちから、自立して名主《みょうしゅ》となる者が出てきたり、名主のうちから大名と主従関係を結んで地侍《じざむらい》となる者もあらわれた。

ここまで来ると農民は団結して領主に抵抗するようになった。「年貢を減らしてくれ」とか「ひどい荘官をやめさせろ」などと要求するのである。その方法は、おとなしいのが文書で要求する愁訴《しゅうそ》で、それが通らないと集団でおしかける強訴《ごうそ》となった。それも通らなければ、全員で耕作を放棄するストライキのような逃散《ちょうさん》に発展した。こうした行動には団結力がカギとなる。そこで農民は儀式をおこなって**一揆**《いっき》を結んだ。「一揆」というと反乱を想像しがちだが、そもそもの意味は心をひとつにした集団のことである。それがやがて、要求を通すためにおこなった武装蜂起もさすようになったのだ。

どんどんエスカレートしていった一揆

武装蜂起としての一揆は、荘園単位の小さいものから国単位の大きいものまで、いくつも発生した。

1428年、「日本開白《かいびゃく》以来、土民蜂起《どみんほうき》是れ初めなり」といわれた**正長《しょうちょう》の土一揆**がおこった。くじ引きで足利義教が将軍と決まると、近江《おうみ》国坂本の馬借《ばしゃく》とよばれた運送業者たちが、「代始めなんだから借金を帳消しにしろ!」と要求したのである。わがままぶりに驚くだろうか。しかし、鎌倉時代の永仁の徳政令でもわかるとおり、中世には土地を元の持ち主にもどす、すなわち借金を破棄することはおこなわれていた。とりわけ支配者が交代する際には、貸借関係などを改めるべきだという社会観念があったのである。

このとき幕府は徳政令を出さなかったので、馬借とそれに同調した土民たちは、高利貸業者を襲って強引に借金を破棄した。これを私徳政《しとくせい》という。

翌年には、播磨《はりま》国で農民たちが国人を追い出そうとする一揆がおこったが、守護の赤松満祐に鎮圧された。

その赤松満祐が、1441年に嘉吉の乱で将軍義教を殺害すると、またもや代始めということで徳政を要求する一揆がおこった。一揆勢は京都を制圧するほどの勢いで、幕府はついに折れて徳政令を発した。

応仁の乱後の下剋上の風潮のなかで、1485年に**山城の国一揆**がおこった。このときは国人と農民が団結し、あいかわらず内紛をつづける守護の畠山氏を追放することに成功した。以後8年間にわたって南山城《みなみやましろ》では自治がおこなわれたのである。

その3年後にはもっと大きな一揆がおこった。**加賀の一向《いっこう》一揆**である。当時、北陸でさかんだった浄土真宗（一向宗《いっこうしゅう》）の門徒が団結し、加賀国を奪ってしまったのである。宗教による一揆だったから団結力も強く、以後約100年にわたって加賀国は一向宗の領国となった。

交通も商業も発達したが、何かと障害が多かった

室町時代には、商業の発達により年貢だけでなく特産品の輸送も活発となり、交通が発達した。鎌倉時代に年貢の保管や輸送をおこなっていた問丸《といまる》が、販売もおこなうようになって問屋に発展した。陸上輸送では馬を使う馬借、海上輸送では廻船があったが、**関所**が数多く設置され、通過の際には幕府や領主に関銭を払わされた。

商工業者たちは、すでに平安後期から**座**とよばれる同業組合をつくるようになっていた。朝廷や寺社などを本所と仰いでお金を納める代わりに、販売の独占権や関銭免除などの特権を認めてもらうのである。座は鎌倉・室町時代を通じて増えていった。その1つ大山崎油座《おおやまざきあぶらざ》は、石清水《いわしみず》八幡宮を本所とする商人の組合で、畿内を中心に約10カ国での荏胡麻《えごま》油の販売独占権をもっていた。

貨幣は鎌倉時代の宋銭にひきつづき、室町時代には明銭《みんせん》が流通した。しかし、明銭だけでは足りないようになってきたため、日本国内でつくられた私鋳銭《しちゅうせん》も出回った。ところが私鋳銭には質の悪いものが多く、取り引きの際に良銭を選び取る**撰銭**《えりぜに》がおこ

なわれ、流通がとどこおるほどとなった。そこで幕府や大名は、撰銭令を出して、悪銭を使うことを禁止したり、その逆に撰銭を禁止したり、はたまた貨幣の交換率を定めたりした。

第7章

戦国・安土桃山時代

激しい下剋上で成り上がった戦国大名が群雄割拠するなか、頭ひとつ抜け出たのは織田信長だった。その後をうけた豊臣秀吉は、全国統一をはたして兵農分離政策をとった。ヨーロッパ人が来航したのもこのころだ。

1467　応仁の乱はじまる（～77）
1485　山城の国一揆（～93）
1488　加賀の一向一揆
1510　三浦の乱
1523　寧波の乱
1543　鉄砲伝来
1549　ザビエル、キリスト教を伝える
1551　大内氏滅亡、勘合貿易断絶
1560　桶狭間の戦い
1568　織田信長、足利義昭を奉じて入京
1570　姉川の戦い
　　　石山合戦はじまる（～80）
1573　室町幕府滅亡
1575　長篠の戦い
1582　本能寺の変
　　　太閤検地開始
1583　賤ヶ岳の戦い
1584　小牧・長久手の戦い
1585　秀吉、四国平定、関白となる
1587　秀吉、九州平定
　　　バテレン追放令
1588　刀狩令
1590　秀吉、小田原平定
1592　文禄の役
1596　サン＝フェリペ号事件
1597　慶長の役
1600　オランダ船リーフデ号漂着
　　　関ヶ原の戦い

キリスト教は嫌いでも、貿易はやめられない秀吉

のちに江戸幕府はキリスト教を禁止するが、豊臣秀吉は**バテレン追放令**を出して宣教師を追放しただけであった。この法令が出されたきっかけは、大村純忠が自分の領地の一部を教会に寄進していたことだった。それを知った秀吉はキリスト教を警戒したが、一般民衆の信仰までは禁止にしなかったのである。それどころか利益を求めて南蛮貿易を奨励したため、宣教師はその後も来日しつづけた。南蛮船には必ず宣教師が乗っていたからだ。

そして、イスパニア船サン＝フェリペ号が土佐に漂着した際に、イスパニアが日本を植民地にしようとして布教しているのを知ると、宣教師ら26名を処刑した。

日本の次は、朝鮮、中国、インド……広がる秀吉の夢？

天下を統一した秀吉は、つぎに朝鮮に侵攻した。秀吉は明、さらにインドまで征服したいと考えており、その手はじめに朝鮮を服属させようとしたのである。出兵のた

めの前線基地として肥前に名護屋《なごや》城を築き、秀吉はここで指揮をとって大名らを出兵させた。1度目の戦いは1592年の**文禄《ぶんろく》の役**で、日本軍は首都漢城（現ソウル）をおとしいれたものの、その後は李舜臣《りしゅんしん》のひきいる朝鮮水軍に苦戦した。硬い装甲でおおわれた亀甲船《きっこうせん》に手こずったのである。日本からの食糧補給ルートも遮断され、さらに朝鮮の宗主国である明の援軍もやってくると、日本は明と和平交渉をおこなった。しかし交渉は決裂し、ふたたび戦いとなった。この**慶長《けいちょう》の役**でも日本は苦戦し、1598年に秀吉が没すると撤兵した。

2度の朝鮮出兵は、朝鮮に多大な被害をあたえたいっぽう、出兵した大名が朝鮮人陶工を連れ帰ったため、日本各地で焼き物が発達した。そのうちもっとも有名なものが肥前の有田焼である。

また、朝鮮出兵をきっかけに豊臣政権内部がギクシャクしはじめた。失敗の原因を他人のせいにしがちなのは今も昔も世の常なのだろう。このときは日本から兵粮米《ひょうろうまい》を送っていた石田三成《みつなり》らと、その兵粮米がなかなか届かずに朝鮮で苦労した加藤清正らとの間の溝が深まったのである。

幼い子を残して秀吉はあの世へ旅立った

豊臣政権では、鎌倉幕府や室町幕府にみられるさまざまな機関は置かれなかったが、浅野長政や**石田三成**らの五奉行が実務を分担した。秀吉は晩年、**徳川家康**や毛利輝元《てるもと》らの大大名を五大老として、合議による政治をおこなわせようとした。秀吉の跡継ぎである**秀頼**《ひでより》が幼なかったため、成長するまで後見させようとしたのである。何しろ秀吉が死んだとき、秀頼はまだ6歳だったのだ。

ところでこのころ、徳川家康は北条氏が消えた後の関東に移されていた。秀吉には直轄鉱山からの大きな収入があったせいもあるが、自分の直轄領を超えるほどの領地を家康にあたえたのである。「わしの土地よりでかい土地をさしあげよう」と言いながらも、当時の江戸は湿地ばかりのひどい土地だったし、秀頼の住む大坂城から遠くなって安心だと考えたのだろう。

さてその家康に、石高では10分の1にも届かない石田三成が挑んだのが、1600年におこった**関ヶ原の戦い**である。

第**8**章

江戸時代

徳川家康がおこした江戸幕府は、巧みな大名統制や農民統制策をとり、3代将軍の時代までに幕藩体制を確立させた。体制がゆらぐたびに何度も改革がおこなわれたが、開国にともなう激動で幕府は滅亡した。

1603　徳川家康、征夷大将軍となる
1604　糸割符制度はじまる
1609　島津氏、琉球征服
　　　蘭、平戸に商館設立し、貿易開始
1614　大坂冬の陣
1615　大坂夏の陣。一国一城令・武家諸法度・
　　　禁中並公家諸法度制定
1635　日本人の海外渡航・帰国禁止
1637　島原の乱(～38)
1639　ポルトガル船の来航禁止
1643　田畑永代売買の禁令
1651　由井正雪の乱。末期養子の禁緩和
1685　生類憐みの令(～1709)
1716　享保の改革(～45)
1732　享保の大飢饉
1782　天明の大飢饉、翌年浅間山大噴火
1787　寛政の改革(～93)
1792　ラクスマン、根室に来航
1804　レザノフ、長崎に来航、通商要求
1808　間宮林蔵、樺太探査
　　　フェートン号事件
1825　異国船打払令
1833　天保の大飢饉(～39)
1837　大塩の乱。モリソン号事件
1839　蛮社の獄
1841　天保の改革(～43)
1842　天保の薪水給与令
1853　ペリー浦賀に、プチャーチン長崎に来航
1854　日米和親条約
1858　日米修好通商条約
1860　桜田門外の変
1862　皇女和宮降嫁。生麦事件
1863　薩英戦争。八月十八日の政変
1864　禁門の変。第1次長州征討
1865　第2次長州征討発令
1866　薩長同盟
1867　大政奉還。王政復古の大号令

1分で納得!

江戸時代

関ヶ原の戦いに勝利した**徳川家康**は、征夷大将軍となって江戸幕府をひらいた。この章では、江戸幕府が滅亡するまでの、およそ260年間をたどっていこう。

この時代は、なんといっても長いのが特徴で、単に15代の将軍ごとにできごとを追いかけるだけでは、江戸時代というものをとらえきれない。大きく4つの時代に分けてわしづかみにすることがポイントだ。

1つめの時代は、3代将軍家光《いえみつ》までの**武断《ぶだん》政治**の時代である。大坂の陣で豊臣氏を滅ぼした後、大名や朝廷などに対する法令を矢つぎ早《ばや》に出して、徳川氏による支配の確立をはかった。幕府の組織はもちろん、参勤交代《さんきんこうたい》や鎖国などのさまざまな制度は、この時代に整った。戦国時代の風潮がまだ残っていたため、幕府は大名による反乱を警戒し、法令に違反した大名を片っ端《ぱし》から処罰した。

2つめの時代は、7代将軍までの**文治《ぶんち》政治**の時代である。大名を力で押さえつけるのではなく、君臣の別を重んじる儒学をベースにして、秩序の安定をはかった。幕政の安定は経済の発展をよびおこし、元禄バブルともよばれる成長をうみだした。しかし、5代将軍**綱吉**《つなよし》の浪費をはじめ幕府の支出が増大したため、幕府財政はぐらついた。

こうして3つめの時代は、**三大改革**とよばれる幕政改革の時代となった。8代将軍**吉宗**《よしむね》がおこなった**享保**《きょうほう》**の改革**では、上《あ》げ米《まい》や定免法《じょうめんほう》などの政策が功を奏し、幕府財政は立ちなおった。その後も寛政《かんせい》の改革、天保《てんぽう》の改革がおこなわれたが、3度も大飢饉《ききん》に見舞われ、人々の不満は高まっていった。

4つめの時代は開国から幕府滅亡までのいわゆる**幕末**である。幕府が19世紀半ばに欧米列強の圧力に屈して開国すると、さまざまな問題が噴出。都市の町人や下級武士は物価高に苦しみ、無策な幕府への不満をつのらせた。志士たちが**尊王攘夷**《そんのうじょうい》**論**《ろん》と公武合体論《こうぶがったいろん》でぶつかりあうなか、幕府をさしおいて雄藩《ゆうはん》に成長していた薩摩藩や長州藩は、幕府打倒に立ちあがった。

豊臣家を完全に滅ぼした家康

豊臣秀吉が亡くなると、家康は秀吉の子をないがしろにして、待ってましたとばかりに政治の主導権をにぎりだした。これに反発した石田三成が、家康以外の五大老に「打倒家康」をよびかけると、会津の**上杉景勝《かげかつ》**が立ちあがった。

家康は会津征伐の軍をおこしたが、西で三成が挙兵すると引き返し、大坂へ向かった。この間、家康は秀吉の家臣同士の対立を利用して、**福島正則《ふくしままさのり》**や**加藤清正**らを味方につけてしまった。そのせいで、家康封じのために東海道に配されていた豊臣系の大名たちが、ごっそり家康に味方してしまったのである。この軍勢を東軍という。

いっぽう石田三成らの西軍は、五大老の1人であった**毛利輝元**を盟主に立て、多くの大名を集めて美濃の関ヶ原に陣をしいた。ところが戦いに積極的な者が少なく、戦闘がはじまっても動かない者や、あろうことか東軍に寝返る者も出てくる始末だった。そもそも毛利輝元自身が、豊臣秀頼を守るためと称して大坂城から動きもしなかったのだ。こうして戦いはたった1日で決着がつき、西軍は敗れた。

さて、関ヶ原の戦いに勝利した家康は、石田三成らを処刑し、西軍の多くの大名の領地を没収（改易）した。西軍に属したものの関ヶ原にはいなかった上杉景勝と毛利輝元については、領地を減らすだけにとどめた。また同じく西軍として関ヶ原に参陣した**島津氏**は、ねばり強い交渉をおこなった結果、領地を減らされずにすんだ。ちなみに、この毛利氏の長州藩と島津氏の薩摩藩が、幕末に同盟を結んで江戸幕府を滅ぼすことになるのだ。なんという因縁だろうか。

こうして1603年、徳川家康は征夷大将軍となったが、これで念願がかなったわけではなかった。なぜなら、まだ大坂城には秀吉の子の豊臣秀頼がおり、政権が奪い返されるおそれがあったからだ。そこで家康は2年後、早々に子の徳川秀忠《ひでただ》に将軍職をゆずり、自分は大御所として政治をとった。

それだけでもまだ安心できない家康は、豊臣氏が建てた方広寺《ほうこうじ》の釣り鐘の銘文にいちゃもんをつけて、大坂城を攻撃した。銘文に「国家安康《あんこう》」「君臣豊楽」の文字があったため、「家康」の2文字が切り裂かれていると文句をつけたのだ。とんだクレーマーっぷりだが、多くの大名は家康に味方した。こうして1614年に**大坂冬の陣**が、翌年に**夏の陣**がおこって豊臣氏は滅亡した。家康は、かつて源頼朝を生かしておいたせいで平家が滅亡に追いこまれたことに学んだのだろう。禍根を残さないように豊臣家を根絶やしにしたのである。

この戦いで徳川氏の支配は確立し、ついに戦国の世は終わった。これを元和《げんな》元年に戦いが終わったという意味で「元和偃武《えんぶ》」とよんでいる。

家康は最後に何を為しとげたか

豊臣家を滅ぼした家康は、最後の仕事にとりかかった。まず**一国一城令**を出して、大名たちに「自分が住む城以外の城は壊せ」と命じたのである。戦いの意志がないことを示させたわけだ。そのうえで大名が守るべきルールとして、**武家諸法度**を制定した。ここには居城を修理する際には幕府の許可が必要だとか、新たに城をつくってはいけないとか、これまた大名たちに反乱を起こさせないよう縛りを設けた。大名家同士の婚姻に幕府の許可が必要だとしたのも、反幕府同盟をつくらせない作戦だった。

武家諸法度と同時に、朝廷が守るべきルールとして**禁中《きんちゅう》並《ならびに》公家《くげ》諸法度**も制定した。その第1条では、天皇のすべきことは学問としている。江戸時代にも、摂政・関白、左大臣・右大臣などの公家は存在しつづけたが、幕府は彼らに政治的な力をもたせなかったのである。将軍という立場で政治をおこないたい幕府は、将軍を任命する朝廷を滅ぼすわけにはいかなかった。幕府にとって天皇は、将軍を任命するエライ人という価値しかなかったのだ。

こうして江戸幕府の基礎を築いた後、1616年、徳川家康は75歳で死去した。信長が49歳で、秀吉が63歳で死んだことと比べるとずいぶん長生きだ。家康は幼少時には今川氏の人質となったり、妻と長男が武田氏に内通していると信長に疑われて2人とも死なせたり、何かと忍耐の人生を歩んできた。それでもこの長生きのおかげで天下を取れたと言えるかもしれない。長寿のために、食事にも気をつかうほどだったというから、その政治手腕は難しくても健康重視という点くらいは真似てみたくなる。

大名行列の思わぬ経済効果

大名というのは、将軍から1万石以上の領地をもらった者のことである。その領地は「藩」とよばれ、大名は藩主としてある程度自由に政治をおこなえた。たとえば年貢率は自由だったし、のちには藩札《はんさつ》とよばれる地域紙幣も発行した。将軍に対しては、江戸への参勤やお手伝い普請《ぶしん》とよばれる土木工事をおこなう必要があったが、年貢を納める必要はなかった。

　こうした大名家は、徳川家の近親の**親藩**《しんぱん》、関ヶ原の戦いより前から家康に臣従していた**譜代**《ふだい》、関ヶ原以後に臣従した**外様**《とざま》の3種類に分けられた。なかでももっとも領地が大きかったのは外様大名の前田家で、加賀などに100万石を領有していた。大名家の数は徐々に増えて、江戸後期には260家ほどとなった。そして驚くのは将軍家の領地の大きさだ。なんと700万石もあって日本の4分の1も占めているのだ。残る4分の3に260家の大名が配置されていることと比べると、徳川将軍家の超特大大名ぶりがよくわかるだろう。

　ところで家康が制定した武家諸法度は、将軍が代わるたびに改定された。たとえば3代将軍徳川家光《いえみつ》の時代には、**参勤交代**が義務づけられた。これは、大名の妻子を人質として江戸に住まわせ、大名自身は国元に1年住んだら次の1年は江戸に住むという具合に、行ったり来たりさせる制度である。やはりここでも幕府は、大名の反乱を防ぎ、大名の経済負担を重くして、余分な財力をつけさせないようにしたのである。

　大名とその家臣が毎年民族大移動をしているせいで、交通はもちろん、貨幣経済も発達した。なぜなら大名たちは、国元と違って江戸には領民がいないため、なんでもお金で入手する必要があったからだ。つまり江戸には、物資や労働力を供給する町人がたくさん必要になってくる。おかげで江戸の人口は100万人に達し、なんと世界一人口の多い都市になった。

過去に学んだ幕府のしくみは絶妙なバランスだった

幕府の組織は3代将軍**徳川家光**のころに整った。最高職の**大老**《たいろう》は臨時職で、常に置かれた最高職は**老中**《ろうじゅう》だった。それを補佐するのが**若年寄**《わかどしより》で、朝廷を監視するための京都所司代《しょしだい》も置かれた。それから**三奉行**といって、全国の寺社を統轄する寺社奉行、江戸の町の警察や行政をになう町奉行、全国の幕領《ばくりょう》の行政と財政をになう勘定奉行があった。

工夫が見えるのは、老中をはじめ多くの役職が**月番制**《つきばんせい》をとっていたことである。同時に複数の者が選ばれ、1カ月交代で仕事をこなすのだ。室町幕府でも管領を3氏が交代でつとめていたが、こちらはそれ以上に権力を独占できないしくみになっていた。

てはじめて年貢を徴収できた。村の自治もある程度認められ、村の掟を違反したものは、村八分《むらはちぶ》といってつきあいを絶たれた。

幕府は、農民が本百姓だらけであってほしいと考えていた。土地を手放して水呑百姓に転落してしまうと、その土地を買った者が小作料（賃貸料）をとってトクしてしまうため、幕府としてはおもしろくないのだ。

そこで1643年、幕府は「田んぼを売ってはいけない」と、**田畑永代売買《でんぱたえいたいばいばい》の禁令**を出した。そして、できるだけお金を使わない質素な暮らしをさせたのである。百姓どもは死なぬように、生きぬように——農民を死なせてしまってはいけないが、余裕ある暮らしをさせてもいけないというわけである。

朝鮮との貿易が収入源だった対馬《つしま》の宗《そう》氏

朝鮮半島と九州のちょうど真ん中あたりに、日本領の**対馬**という島がある。室町時代には**宗氏**という一族が守護に任命され、朝鮮との貿易で利益を得ていた。宗氏が日本の商人とともに朝鮮に渡って貿易をするのだ。そのころの輸入品には木綿（綿布）

があった。「わた」は平安時代にも使われていたが、それは綿花のわたではなく、カイコがつくる繭《まゆ》からできた綿だった。日本での綿花栽培は戦国時代からなのである。それが三河でのことだったから、長篠の戦いで織田・徳川連合軍の鉄砲使用につながったのだ。

朝鮮貿易で利益を得ている対馬の宗氏にとって、朝鮮出兵はやっかいなできごとだったに違いない。その後、徳川家康は宗氏を通じて朝鮮と国交を回復し、朝鮮出兵の際に日本軍が連れてきた捕虜を帰した。こうして対馬藩は朝鮮の釜山《プサン》に渡って貿易をおこない、朝鮮からは将軍が代わった際に、**朝鮮通信使**が江戸に来るようになった。

一方、沖縄には室町時代に琉球王国が誕生していた。**尚《しょう》氏**を王とする王府を首里《しゅり》に置き、中国に朝貢して朝鮮から東南アジアまで広く中継貿易をおこなう貿易立国であった。

薩摩藩は1609年に琉球に侵攻し、琉球王の尚寧《しょうねい》をとらえて江戸まで連行した。そしてこれ以後、琉球王国は日本と中国の両方に服属する国となり、将軍が代わるごとに**慶賀《けいが》使《し》**を、琉球王が代わるごとに**謝恩《しゃおん》使《し》**を江戸に派遣した。また、薩摩藩はサトウキビを原料とする黒砂糖を納めさせたり、のちには琉球を通じた密貿易で利益を得るようになった。

貿易でも手腕を発揮した家康

江戸初期には台湾や東南アジアとの貿易もおこなわれた。日本から、**朱印状**という渡航許可証をもった船が、東南アジア各地にさかんに派遣されていたのである。マニラやタイのアユタヤなど、各地に日本人の自治が認められた**日本町**ができたほどだった。千人を超える日本町もあったが、この人たちはのちの鎖国令で帰国を禁止されたから、その末裔は現在かなりの数にのぼるはずだ。

そして、あいかわらず海禁政策をとる明とは国交は回復せず、明に渡航して貿易することはできなかった。しかし、明船が東南アジアにやってきて、朱印船と**出会**《であい》**貿易**をおこなった。中国産の生糸はこのルートでも入手していたのである。もっとも海禁政策がゆるむと中国船は日本に来航するようになり、江戸時代を通じて長崎で貿易がおこなわれた。

ところで、ポルトガルとイスパニアがカトリック（旧教）国だったのに対し、オランダとイギリスはプロテスタント（新教）国で、貿易と布教を分ける国だった。両国は1600年にオランダ船リーフデ号が豊後に漂着したのをきっかけに来航するようになり、平戸の商館で貿易をおこなった。

いっぽう、中国産の生糸をもってくるポルトガルに対しては1604年、**糸割符制度**《いとわっぷせいど》をはじめた。日本の商人が糸割符仲間をつくり、その代表者が値段交渉をおこなって値下げさせようとしたのである。家康は、リーフデ号のイギリス人やオランダ人を外交顧問としていたから、何かしらアドバイスをうけたのだろう。その後も家康は、イスパニアの植民地であったメキシコとの貿易交渉をおこなうなど、少しでも有利に貿易をおこなおうとした。現代の日本の役所は、随意契約で同じ会社にばかり受注させ、しかも会社側の言い値を支払うことが多いが、すぐれた経営者というのは常に情報を入手して、コスト削減につとめるものだ。

5度の鎖国令で閉ざされていった日本

江戸時代に入ってもキリシタンの人数が増えつづけたため、家康は信者どうしの団結をおそれるようになった。そこで1612年、**禁教令**を出してキリスト教を禁止した。以後、幕府はキリシタンを迫害し、国外追放や処刑までおこなった。そうなってくると布教をおこなうイスパニアとポルトガルが問題となる。そこでまず、つきあいの薄い**イスパニアを来航禁止**とし、ついで鎖国令を出していき、1635年には日本人の海外渡航と帰国を全面禁止とした。この鎖国政策によって朱印船貿易はとだえ、各地の日本町に住む日本人は現地に残された。さらにその翌年、長崎につくった**出島**にポルトガル船を来航させるようにして、布教を阻もうとした。

しかし、当時すでにキリシタンは70万人を超えており、それくらいのことでは抑えこめるわけがなかった。事実、その翌年には**島原の乱**がおこったのである。

九州の島原と天草《あまくさ》では重税がかけられており、がまんの限界をこえた農民たちは、キリシタンの**天草四郎時貞《ときさだ》**を首領にたてて大一揆をおこした。原城を占拠し4カ月にもわたってたてこもったのだ。最終的には幕府軍によって鎮圧されたが、双方は多大な被害をうけた。

これに懲りた幕府は、1639年の鎖国令で**ポルトガル船の来航を禁じ**、空き家となった出島にはオランダ船を来航させることとした。もうひとつの新教国のイギリス

密約ができた。あとは倒幕のチャンスを待つばかりである。

大政奉還で徳川氏を生き残らせる慶喜の作戦

ふたたび幕府に反抗的になった長州藩に対して、幕府は**第二次長州征討**をおこなった。1度目とは違い今度は本当に戦闘となったが、長州藩は農民や町人らからなる奇兵隊と、イギリスから買った兵器で迎えうった。兵農分離の身分制の時代にもかかわらず、長州藩は画期的な軍隊をつくっていたのである。幕府はこれに苦戦し、民衆の不満が高まって各地で打ちこわしや世直し一揆があいつぐと、将軍家茂が亡くなったのを理由に撤兵した。すでに幕府はたった一つの藩でさえも、おさえることができなくなっていたのである。

将軍家茂の死去後、15代将軍に**徳川慶喜**がついた。これと同じ年に孝明天皇が亡くなると、16歳の明治天皇に代わった。そして1867年に天皇から薩長両藩にあてて**討幕の密勅**が出された。これでいよいよ討幕の戦いをおこせるわけだが、慶喜は機先を制して同じ日に**大政奉還**をおこなった。いったん政権を朝廷に返すことにより、朝敵とされるのをさけたのである。

たしかに幕府がなくなってしまえば、討たれる筋合いはない。しかし、あくまでも返すのは政権だけで、日本の４分の１にあたる巨大な領地は返さないのだ。それなら雄藩連合の政治体制となっても自分が中心に立てるはず……、慶喜はそう目論んだのである。

出し抜かれた討幕派は主導権を取りかえそうとはかった。１８６７年12月、朝廷に**王政復古の大号令**を出させ、慶喜の領地を返還させることにした。こうしてついに両者激突とあいなった。

第**9**章

明治時代

幕末の勝ち組、薩摩・長州の出身者らが明治維新を主導し、「富国強兵・殖産興業」をスローガンにさまざまな改革をおこなった。軍事力の強化により日清・日露の2つの戦争に勝利すると、日本は「一等国」に仲間入りした。

1868　戊辰戦争。五箇条の誓文
1869　東京遷都。版籍奉還
1871　新貨条例。廃藩置県
1872　国立銀行条例
1873　徴兵令。地租改正条例
　　　征韓論争
1874　民撰議院設立建白
　　　台湾出兵
1875　大阪会議。江華島事件
1876　日朝修好条規
　　　廃刀令。秩禄処分
　　　地租改正反対一揆
1877　西南戦争。立志社建白
1879　琉球処分
1880　国会期成同盟結成。集会条例
1881　明治14年の政変
　　　自由党結成
　　　松方財政開始
1882　立憲改進党結成
　　　壬午軍乱。日本銀行開業
1885　天津条約。内閣制度創設
1887　三大事件建白運動。保安条例
1888　枢密院設置
1889　大日本帝国憲法発布
1890　第1回帝国議会開会
1894　日英通商航海条約調印
　　　日清戦争（～95）
1895　下関条約調印。三国干渉
1897　貨幣法（金本位制の確立）
1900　治安警察法。北清事変
　　　立憲政友会結成
1901　社会民主党結成
　　　八幡製鉄所操業開始
1902　日英同盟協約締結
1904　日露戦争（～05）
1905　ポーツマス条約
1906　日本社会党結成
1909　伊藤博文暗殺される
1910　大逆事件。韓国併合条約
1911　日米新通商航海条約

1分で納得!

明治時代

この章では、新政府軍と旧幕府軍がぶつかった戊辰《ぼしん》戦争からはじまって、明治天皇が死去するまでの40年あまりをたどる。短い期間ではあるが、できごとが急展開するうえに政治・経済・外交・文化がからみあってすすむため、つながりを意識してとらえたい。また、一度登場した人物がふたたびあらわれることもしばしばなので、人名を頭に留めておくとより楽しめる時代である。

明治時代を大きく3つのテーマに分けてみよう。1つめは、さまざまな改革が目白押しな**明治維新**である。この時期は改革の内容もさることながら、政府上層部を二分することになった**征韓論争**も目玉となる。論争に敗れた者たちが、そののち言論や武力で政府と戦うことになるのだ。ここでは改革が痛みをともなうものだったことがよくわかるだろう。

2つめは**自由民権運動**である。人々が藩閥政府に対して、減税や国会開設などを求め、政党や私擬憲法をつくるに至った。やがて国会がはじまったのちも、首相をはじめ内閣のメンバーは薩摩・長州出身者ばかりで占められたから、民権派の政党はこれと対立した。明治憲法体制は、議会の多数派が内閣を構成するシステムにはなっていなかったのである。

3つめは、対外関係の緊張の高まりにともなっておこった**国家主義の台頭**である。朝鮮を「利益線」として確保したい日本は、朝鮮の宗主国《そうしゅこく》である清国と対立した。このため日清戦争が近づくにつれ、人々のあいだでは民権論は影をひそめ、国権論が高まったのである。そのうえ、日清戦争で獲得した遼東《りょうとう》半島をロシアの圧力で返還させられたため、今度はロシアへの敵愾心《てきがいしん》をつのらせた。

こうしたなかでロシアを牽制《けんせい》する日英同盟が成立し、日本は**日露戦争**に辛くも勝利した。列強に肩を並べるほどに成長したのである。明治末期には韓国を植民地化し、これ以後日本は「大日本帝国」への道をつきすすむことになる。

明治維新で日本は変われるか⁉

1868年正月早々、**戊辰戦争**《ぼしん》が始まった。薩長を中心とする新政府軍は、まず鳥羽・伏見で旧幕府軍を破り、江戸城攻略に向かった。それに対し旧幕府軍は、慶喜を討たないことと引き換えに、江戸城を新政府軍に明け渡した。このため慶喜は隠居したものの、徳川宗家は今の静岡県に領地をあたえられ、のちには公爵となって現在まで命脈を保つことになった。政権を奪われたにもかかわらず、滅ぼされずにすんだ希有な家系だといえる。

その後、新政府軍は東北諸藩を攻め、さらに現在の函館にある西洋城郭の五稜郭《ごりょうかく》を落とした。こうして1年半近くつづいた戊辰戦争は終わった。

この戦争の最中から、新政府はあらたな政治体制をつくりだしていった。まず政府の基本方針として**五箇条の誓文**《せいもん》を発表し、「広く会議をおこし」て世論を尊重することや、開国和親などをうたった。その翌日には民衆の心得として**五榜**《ごぼう》**の掲示**をかかげ、儒教道徳を強制し農民の抵抗を禁じた。これではまるで幕府と同じだが、民衆を甘やかしていたらいつになっても欧米に追いつけないと、新政府は痛感していたのだろう。

つぎに**政体書**を出して、太政官に権力を集中させるしくみをつくった。アメリカにならって三権分立制も取り入れ、太政官のなかに立法・行政・司法の3つの機関を置いた。

版《はん》籍《せき》奉《ほう》還《かん》と廃《はい》藩《はん》置《ち》県《けん》で中央集権体制を確立

戊辰戦争が終わった時点で、まだ全国には270あまりの藩があった。江戸幕府は滅亡したが、藩はそのまま残っていたのである。そこで新政府は**版籍奉還**をおこなった。慶喜に領地を返還させたように、諸大名にも領地と領民を返還させたのだ。それでもなお「藩」という単位はなくならず、それどころか大名（藩主）がそのまま知藩事となって藩政をつづけた。

そこで、2年後の1871年、今度は**廃藩置県**をおこなって、藩をなくして全国に府と県を設置した。元大名の知藩事を東京に住まわせ、代わりに政府が任命した府知事・県令を地方に送り込んだのである。これには抵抗が予想されたため、政府は御親《ごしん》兵《ぺい》という軍隊を組織して、いざというときに備えた。もっとも、諸藩の債務を政府が引き受けたこともあって、実際には抵抗する者はいなかった。これでようやく、新政府は最初の山をのりこえた。

これらの政策と同時に、薩摩・長州・土佐・肥前の4藩以外の出身者が、政府の中枢から排除されていった。こうしてできた政府を**藩閥政府**という。

めざせ、富国強兵！

新政府は軍制・税制・貨幣制度など、さまざまな改革に取り組んだ。軍制面では、国民皆兵の原則をとり**徴兵制**をしいた。国民の8割は農民だったから、これにより律令時代のように農民による軍隊ができたのである。これは太閤検地以来の兵農分離を終わらせた政策と見ることもできるが、農民からはこれに反対する一揆が起き、プライドを傷つけられた士族（もと武士）の間でも不満の声があがった。

この改革を実行したのは、奇兵隊の指揮官だった**山県有朋**《ありとも》である。つまり、山県は日本の陸軍の創設者というわけだ。

税制改革としては**地租**《ちそ》**改正**をおこなった。江戸幕府は農民から米を徴収していたが、米価が下がって幕府の収入が減る傾向にあった。そこで新政府は地租という税を現金で納めさせることにした。その税額は地価の3%とし、地価が書かれた地券を発行した。地価を課税基準とする現在の税制度は、このときから始まったのである。

ところで、農民は農業と養蚕《ようさん》業などで現金収入を得て地租を納めたのだが、生産物の半分近くも売らないと税金をまかなえなかった。これじゃあ江戸時代と変わらない。このため1876年には、茨城県や東海地方などで地租改正反対一揆がおこった。これをうけて政府は減税に踏み切ることになる。

二転三転した明治初期の紙幣制度

戊辰戦争で江戸城は無血開城されたが、それは新政府にとって良いことばかりでもなかった。幕府軍が金目の物をもち出してしまい、それを奪えなかったからである。こうしたこともあって資金の乏しい新政府は、貨幣制度の確立に右往左往することになった。

ところで、確実に決まった量の金貨と交換できる紙幣を金兌《きんだ》換《かん》紙幣という。今現在の日本の紙幣は兌換紙幣ではない。金を買うことはできても、国家が一定量への交換を保障しているわけではないので、不換《ふかん》紙幣というのだ。

新政府は、取り急ぎ不換紙幣を発行したが、生まれたばかりのひよっこ明治政府の不換紙幣じゃあ誰も信用してくれない。そこで1871年には**新貨条例**を出して、貨幣の単位を円・銭・厘とし、**金本位制**を採用した。これは金貨をメインの貨幣とし、**金兌換紙幣**を発行する制度である。しかし、貧乏な明治政府にそれを確立する資金力はない。じゃあどうするか。お金持ちが金《きん》を出資して銀行をつくり、それぞれの銀行が金兌換紙幣を発行する方法がある。これは当時、アメリカのナショナル・バンクがおこなっていたシステムだった。

お金は中央銀行が発行するものと思い込んでしまっていると理解が難しいかもしれないが、兌換が保障されているなら、民間の銀行が紙幣を発行するのもアリだろう。わかりにくいのは国が出資していないのに、「国立銀行」と名づけてしまったことだ。これはナショナル・バンクの直訳なのである。実際、最初に設立された第一国立銀行は、三井などの出資によるもので、国が設立したわけではない。この銀行が貸し出し業務などで利益を得たら、出資者に配当金が出るシステムなのだ。

もっともこうした銀行は4行しか設立されず、政府は4年後に銀行設立の条件を緩和した。いったん兌換制度をあきらめたわけだ。こうして1879年の第百五十三国立銀行まで、文字どおり153の発券銀行が設立された。

近代産業をおこせ！ スローガンは「殖《しょく》産《さん》興《こう》業《ぎょう》」

幕末以来、あいかわらず生糸がよく売れていたが、その得意分野をもっと伸ばそうと、政府は群馬県に**富《とみ》岡《おか》製糸場**をつくった。一歩進んだフランスの技術で生糸を生産し、民間にお手本を示そうとしたのである。こうした**官営模範工場**は他の産業でもつくられていった。鉱山や鉄道は工部省が、商工業や農業などは内務省がそれぞれ担当にあたった。その指導には、高給を払って御《お》雇《やとい》外国人を招いた。新政府はかなり積極的に外国の技術を取り入れたのである。

ている。

政府も教育の重要性を認識していたから、国民皆学《かいがく》をめざした教育制度が整えられていった。

こうしてみてくると、文明開化のスピードの速さと、そこについていった人々には驚かされる。しかしいっぽうで、農村では旧暦によって行事がおこなわれるなど、昔ながらの生活がつづいた。

欧米帰りの大久保と征韓派の西郷が大ゲンカ

廃藩置県で一段落した政府は、不平等条約の改正交渉のため、欧米に**岩倉使節団**を派遣した。**岩倉具視《ともみ》**を大使とし、**大久保利通**・木戸孝允・伊藤博文らを副使とする総勢約100名の使節団は、その半数が留学生で、さながら遣唐使のようだった。使節団は、最初の訪問国であるアメリカでさっそく交渉につまずいたが、各国の産業や制度などを調査して、2年後の1873年に帰国した。

いっぽう、新政府の主要メンバーの大久保・木戸がいない間に、日本に残っていた

西郷隆盛や**板垣退助**らは征韓論を主張するようになっていた。これは朝鮮を武力で開国させる考えで、まるで「先輩」の列強に脅されて開国した日本が、「後輩」を脅すようにも見える政策であった。不平等条約を結ばせれば、オイシイ貿易ができるだろうし、高まりつつある士族の不満をそらす効果も期待できた。

ところが使節団が帰国すると、帰国組は「今は外国に目を向けている余裕なんてないだろ!」と内治優先をとなえて、留守政府組と論争になった。これを**征韓論争**という。

公家出身で右大臣の地位にあった岩倉具視の進言で、天皇が征韓中止を決定すると、征韓派の5人の参議はいっせいに下野した。参議というのは、今の内閣の閣僚のようなもので9人しかいなかった。そのうち5人もが辞めたため、これを**明治六年の政変**と呼んでいる。辞めた西郷隆盛や板垣退助らは、このちさまざまな形で政府と対立していくことになる。

自分では農業をおこなわずに、高い小作料収入を得るだけの**寄生地主**となっていった。そしてまた、安い賃金で働く工場労働者も生まれはじめた。

これ以後、少しずつ地租以外の税金が増えていくことになる。そう考えると土地というのは目に見える収入源だから、国家としては一番課税しやすい対象なんだろう。不動産をもつべきか否かは悩ましいところだ。

この時期、1882年から86年にかけて、各地で高利貸や警察や役所を襲撃する事件が相次いだ。これは自由党員が窮乏する農民と結んで引き起こしたもので、埼玉県の秩父では数万人が蜂起したほどだった。

いっぽう松方デフレによる緊縮財政で輸入が減り、安くなった日本商品が外国に売れた。これで輸出超過に転ずると、外国が支払った銀貨が蓄積され、1886年に**銀本位制**が確立した。大蔵大臣となっていた松方が、日本銀行が発行した紙幣の銀兌換をスタートさせたのである。

このためお金の価値が安定し、物価も安定したため激化していた民権運動はしずまり、民権派はふたたび言論による活動にもどっていったのである。

大日本帝国憲法発布と初の「総選挙」

伊藤首相らがつくっていた憲法草案ができあがると、伊藤は首相を辞めて新設の枢《すう》密《みつ》院《いん》初代議長の座についた。そしてその枢密院に天皇を呼んで、憲法草案をチェックしてもらった。こうして**大日本帝国憲法**が完成すると、欽定《きんてい》憲法すなわち天皇が定めた憲法として、1889年2月11日に発布されたのである。この日は紀元節という祭日だった。初代の天皇とされている神武《じんむ》天皇が即位した日というわけだ。現在は建国記念の日となっている。

大日本帝国憲法下の国会には、**衆議院と貴族院**が置かれたが、国民の選挙で選ぶのは衆議院議員だけで、貴族院議員はおもに華族で構成されることになった。そして憲法発布と同時に**衆議院議員選挙法**が制定されると、選挙資格は25歳以上の男子で、直接国税15円以上の納税者とされた。この条件に合致するのは地主層で、全国民のわずか1%にすぎない。では彼らが好む政党はどれだろう？　自由党などの民権派の民党か、政府を支持する吏党か……。

当時、首相をつとめていたのは**黒田清隆**だった。黒田は開拓使官有物払い下げ事件で一時失脚したものの、ほとぼりがさめて薩摩閥の中心となっていたのである。長州出身の伊藤首相のあとには、薩摩出身の人物がいいということで首相に就任していた。もちろん国民が選んだわけじゃない。藩閥政府のエライ人たちが選んで天皇に助言し、天皇はその人選にしたがって任命しただけである。国会で首相を選ぶようになるのは、戦後の憲法が施行されてからのことなのだ。

その黒田首相は選挙で民党が大勢当選するかもしれないと考えた。そこで憲法発布の翌日、「政党の存在は認めるが、政府は超然として政治をおこなう」といういわゆる**超然主義演説**をおこなって牽制した。

翌年、初めておこなわれた総選挙で過半数を制したのは民党だった。しかし、いくら民党が「民力休養・政費節減」ととなえても、首相となった山県有朋は受けいれず、その後の藩閥政府も超然主義の態度をとりつづけた。「民党のヤツらには政権は渡さないぞ」という姿勢だったのだ。

何度もチャレンジした条約改正までの道のり

岩倉使節団のあとには、**寺島宗則**《てらじまむねのり》外務卿が条約改正交渉をおこなった。しかしイギリスなどの反対で挫折し、かわって**井上馨**《かおる》外務卿が交渉に取り組んだ。井上はその際に欧化主義政策をとり、舞踏会などを開く鹿鳴館《ろくめいかん》を建設した。これは日本の近代化をアピールする政策だったが、それくらいのことで欧米が日本を認めるわけがない。実に浅はかな政策だ。ほかにも交渉の際の妥協案が不満を呼び、井上は民権派からはげしく非難されて1887年に外相を辞任した。

第一次伊藤内閣は代わりの外相に**大隈重信**を選んだ。民権派の人物を政府に取り込むことで、政府批判をおさえようとはかったのである。しかし、その大隈の妥協案もまた不満を呼び、反対派による爆弾テロで

●第1回衆議院議員総選挙の結果

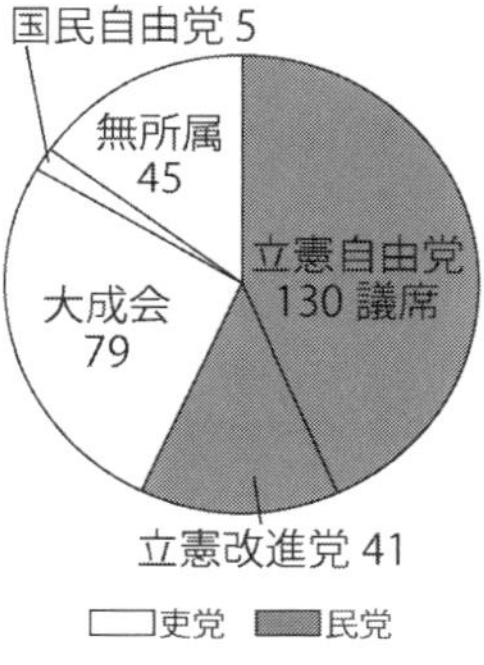

大隈は片足を失ってしまった。

その後もなかなか条約改正は達成できずにいたが、ロシアが中国権益をねらいはじめると、それまで壁となっていたイギリスが態度を変えた。イギリスは「日本をいじめすぎると、日本がロシアと仲良くなってしまうかもしれない。そうするとアジアでのイギリスの立場が危うくなる」と考えたのだ。さすがイギリス。だてに世界の頂点にいたわけではない。国際関係には敏感なのだ。

こうして1894年、**陸奥《むつ》宗光《むねみつ》**外相は**日英通商航海条約**を結び、他国とも同様の条約を結んで治外法権（領事裁判権）の撤廃に成功した。そしてそれらの条約が期限切れとなる1911年、今度は**小村《こむら》寿太郎《じゅたろう》**外相が、ついに関税自主権の回復にも成功した。そのころ、日清・日露の2度の戦争に勝利して、朝鮮半島を植民地化していた日本を、欧米も「一等国」として認めたわけである。

それにしても長い下積み人生であった。この翌年の1912年は、明治から大正に変わる年なのだから。じつに半世紀以上もの間、日本は不平等条約を受け入れつづけていたのである。

日本はなぜ朝鮮を清から独立させたかったのか？

朝鮮を開国させた日本であったが、ここを植民地として支配するには、周辺諸国の影響力を取りのぞく必要があった。そのために戦ったのが日清・日露戦争である。

朝鮮国内には守旧的な**親清派**と、改革路線を取る**親日派**の２つの勢力が対立していた。親清派はこれまでどおり清国に従属する方針であったため、日本としては都合の悪い存在であった。なぜなら、オイシイ市場である朝鮮が清国にすがってしまうと、清国が親分ヅラをして「日本は朝鮮から出ていけ！」と言い出すかもしれないからだ。親分としては子分の独立をなかなか認めないだろうが、せめて子分である朝鮮には独立路線を取ってもらいたい。そう考えて日本は親日派を応援していたのである。

こうした対立から朝鮮では２度のクーデターがおこり、その結果、閔妃《びんひ》を中心とする親清派が主導権をにぎってしまった。

この状況をみた福沢諭吉は、１８８５年に**「脱亜論」**を発表した。今まではアジアとともに発展することをめざしてきたが、これからは改革のすすまない清国と朝鮮を

ますます強くなった。そしてその年の終わりごろ、第二次山県内閣が地租をアップしようとすると民党もこれに同調した。国民のあいだにも「ロシアに勝つためには増税してもかまわない!」と、国家主義思想が高まっていたのである。10数年前は減税を叫んでいたというのに、変われば変わるものだ。

欧米列強の侵略をうけて、中国人のあいだで排外主義が高まり、1900年に「扶清滅洋《ふしんめつよう》」をさけぶ**義和団**《ぎわだん》が外国人を襲った。幕末の日本と似たような状

●中国における列強の勢力範囲

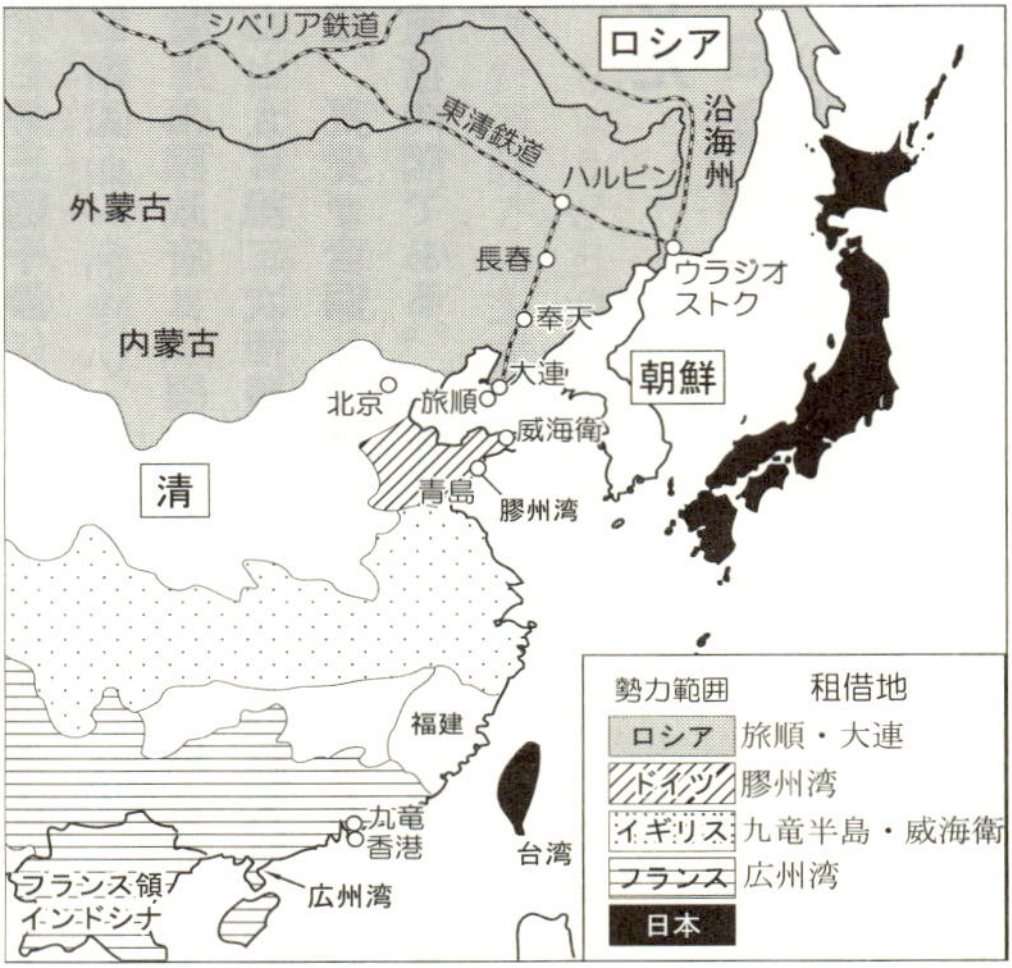

況が生まれたのである。ところがこのあと、清国政府が選んだ道は違っていた。義和団の動きにそそのかされて、なんと列強に戦いを挑んでしまったのだ。この**北清事変**に敗れた清国は、巨額の賠償金を支払わされた。

日本とイギリスでロシアをにらみつけよう！

日清戦争後、朝鮮は日本に支配されるのを嫌って、ロシアに助けを求めた。そして国号を「大韓帝国（韓国）」と改めた。清国よりもはるかに強いロシアに出てきてこられると、日本は困ってしまう。さらにまずいことに、北清事変後にロシアは**満州**を占領してしまった。満州は中国の東北地方で、南は遼東半島を含み、韓国とは陸続きの位置にあたる。このため韓国における日本の権益が、いよいよピンチになってきた。日本と清国が朝鮮をめぐって争っているところにロシアがやってきて、朝鮮を横取りしようとしたのである。漁夫の利とはこのことだ。

このピンチを穏やかに話し合いで解決するにはどうしたらいいか。ロシアが満州を支配するのを認める代わりに、日本が韓国を支配するのを認めてもらえばいい。**日露**

協商論とか満韓交換論というこの考えは、伊藤博文らが提唱した。しかしこれだと、遼東半島をあきらめることになる。そもそもロシアがそんな話に乗ってくるだろうか？

この主張と対立したのは、「ロシアに対して強気に立ち向かえ！」という策である。清国に大きな権益をもつイギリスと同盟を結び、南をうかがうロシアを牽制するのだ。これを**日英同盟論**といい、当時首相であった桂太郎や、陸軍の創設者の山県有朋らが提唱した。

結局1902年、政府は日英同盟を結び、ロシアとは敵対する道を選んだ。あの伊藤博文の意見でさえも通らなかったのである。

弱小ニッポンが大国ロシアに戦争を挑んだ！

1904年、**日露戦争**がはじまった。日本はこれ以上戦争が継続できないほどの損害を出しながらも、満州におけるロシア軍の拠点を占領し、ロシア艦隊を破った。ここで満州進出を目論むアメリカ大統領セオドア＝ローズヴェルトが日露間の調停にのりだし、**ポーツマス条約**が結ばれた。条約では日本の韓国指導権が認められ、ロシアに代わって日本が旅順・大連を借りうけることになった。ついに三国干渉の恨みをはらしたわけだ。ほかに日本は樺太の南半分の領土や、鉄道や漁業の権利も得たが、賠償金を支払わせることはできなかった。なぜなら無理に請求すると、ロシアが温存している軍隊を出してくる可能性があったからだ。これ以上戦えない日本としては、背に腹は代えられず、あきらめるしかなかった。それにしても、よくここまで急成長できたものだ。

ところで、ポーツマス条約を結ぶ前に、日本は世界の大国である英米と交渉して、韓国を支配することを認めさせていた。こうして周辺諸国から文句を言われないようにしたうえで、韓国の植民地化をすすめていった。韓国に軍事的圧力をかけていくつもの条約を結ばせ、最終的に１９１０年の**韓国併合条約**で植民地化を実現したのである。これ以後、韓国は日本の領土の一地方として「朝鮮」とよばれることになった。

この間、朝鮮では抗日運動がおこり、植民地化を進めていた伊藤博文が暗殺された。また、日本に土地を奪われた朝鮮農民が、仕事を求めて日本に移り住むことも多くなっていった。

綿の糸を蒸気力の機械で大量生産しよう！

イギリスで産業革命がおこってから遅れること1世紀、日本でもようやく**産業革命**がおこった。

江戸時代に庶民の衣料として綿製品は広く生産されていたが、幕末に貿易がはじまってからはイギリス産の安い綿製品に押されっぱなしとなっていた。そこで**渋沢栄一**《しぶさわえいいち》は考えた。イギリス並みの安さで綿糸をつくるにはどうすればいいか。まず原料は高い国産綿花ではなく、中国・インド綿花を使う。つぎに機械は蒸気機関で動くイギリス製のものをたくさん買い、大量生産するために24時間フル稼働させる。そして労働者は賃金の安い女工を使い、二交代制で働かせる。

このアイデアで渋沢が**大阪紡績会社**を設立した１８８２年という年は、ちょうど松方デフレで低賃金労働者が増えていく時期であった。これ以上にない絶妙なタイミングだったといえる。そして、官営模範工場の5倍もの規模の大会社が軌道に乗ると、２匹目のドジョウをねらって、同じ規模の会社がたくさん生まれた。その結果、日清戦争後には、国産綿糸を中国・朝鮮市場に輸出するほどに至った。紡績業は日本の産業革命をリードした産業となったのだ。

生糸をつくる製糸業でも産業革命がおこった。それまでの座繰《ざぐり》製糸に代わって、富岡製糸場でおこなわれていた**器械製糸**の技術が民間にも広まっていったのである。高級品である生糸はアメリカに輸出され、やがて１９０９年には輸出額が、中国を抜いて世界１位となった。

製鉄業では、日清戦争の賠償金を利用して**八幡《やはた》製鉄所**が設立された。当時の日本には、小さな鉄製品はつくれても、大きな鉄鋼をつくる能力はなかったのだ。これでは軍備拡張が思うようにできない。そこで鉄鉱石を中国から輸入し、筑豊《ちくほう》炭田の石炭をもちいて鉄鋼生産をはじめたのである。日露戦争前の１９０１年のことであった。

日清戦争の賠償金といえば、受け取った金貨をもとに、１８９７年、日本はついに**金本位制**を確立した。欧米と同じ金本位制にすることで、戦争のための借金がしやすくなる効果があった。これもまた、日露戦争への布石となったのである。

産業革命の陰で苦しんだ人々

現代の日本も「格差社会」などといわれているが、明治時代の下層民たちの貧しさはもっとひどかった。たとえば紡績女工なら、1日12時間の二交代労働だが、製糸女工は二交代制ではないため、15時間労働なんてのも普通だった。しかも自分のためではなく、家族のために低賃金でも働くのである。日本の発展の裏側には、こうした苦しみがあった。現代の若者がこの現場を見たらどう思うのだろう。

こうした状況を改善しようと**社会運動**がおこり、1886年には日本で最初のストライキが女工によっておこされた。日清戦争後には、労働組合の結成をよびかける組織も生まれ、1901年には、最初の社会主義政党が**幸徳秋水**《こうとくしゅうすい》らによって結成されるに至った。しかし、社会主義は貧富の差のない社会をめざす考えで、天皇制を否定する共産主義の一歩手前の思想である。そのためこの政党は危険とみなされ、前年に制定されたばかりの**治安警察法**によって、すぐに解散させられた。この法律を制定した内閣は第二次山県内閣だった。

ライバルだった山県有朋と伊藤博文

ここで山県有朋と伊藤博文について考えてみよう。どちらも長州藩出身の政治家だが、政党に対する考え方はまったく逆だった。山県は2度目の内閣でこそ憲政党と提携したが、それは政策を実行するためだけの手段にすぎず、本音は**政党嫌いで超然主義**であった。その姿勢は、社会運動を弾圧する治安警察法の制定や、のちに述べる軍部大臣現役武官制の制定にも現れている。

いっぽう伊藤は、藩閥政治家のなかで初めて政党と提携したことからもわかるように、政党に対して理解があり、みずから政党をもとうとした。

ところで第一次大隈内閣をつくった憲政党は、旧自由党派の憲政党と旧進歩党派の憲政本党に分裂した。このうち前者の憲政党は、有力な藩閥政治家を支持することで政権に参画できるうま味を重視するようになった。そこで、山県との関係が悪くなると、今度は伊藤系官僚と手を結び、伊藤博文を総裁に戴く**立憲政友会**という政党を結成した。かつて民権派が伊藤と敵対していたことを考えると納得がいかないが、日清・日露戦争期に国権論が台頭し、自由党の中の人たちも変わっていたのである。こうして伊藤博文は、4度目の内閣を立憲政友会を母体にして組織した。

桂太郎と西園寺公望《さいおんじきんもち》が交替で首相についた桂園《けいえん》時代

第四次伊藤内閣が総辞職すると、伊藤や山県らの有力な藩閥政治家は政治の第一線から退いて、**元老**《げんろう》とよばれるようになった。元老とは明治維新に功績のあった薩長の長老で、後継首相を選んで天皇に推薦する仕事をになった。

そして、彼らに代わり首相となった**桂太郎**と**西園寺公望**は、それぞれ山県と伊藤の後継者といえた。山県は官僚や貴族院や陸軍などに人脈を広げて派閥をつくっており、桂太郎はそのうちの長州・陸軍閥で山県に次ぐ地位にあった。

いっぽう西園寺は伊藤のあとをついで立憲政友会総裁となった人物で、長いフランス留学の経験のせいか、穏健的で権利を尊重する面があった。両者の性格は政策にもしっかりと現れている。

たとえば第一次西園寺内閣は、社会主義運動に理解を示していたのに対し、第二次桂内閣は、**大逆**《たいぎゃく》**事件**で社会主義者の幸徳秋水らを死刑にした。幸徳秋水は社会主義運動の中心人物だったため、他の社会主義者がくわだてた天皇暗殺計画に関与したことにして絞首刑にしてしまったのである。

この冤罪事件で、社会主義者は陰謀におびえざるをえなくなり、社会主義運動は冬の時代を迎えた。

第10章

大正時代～昭和戦前

たびかさなる大不況で民衆の不満がつのると、その矛先は植民地の獲得へと向けられた。欧米諸国との摩擦によって、日本は国際社会から孤立し、国家一丸となって戦争への道を突き進んだ。

1913　大正政変（第一次護憲運動）
1914　第一次世界大戦に参戦
1915　中国に二十一カ条要求提出
1918　シベリア出兵（～22）。米騒動
1919　ヴェルサイユ条約調印
1921　ワシントン会議参加
1923　関東大震災。虎の門事件
1924　第二次護憲運動
1925　治安維持法。普通選挙法
1927　金融恐慌。山東出兵（～28）
1928　普通選挙実施
　　　張作霖爆殺事件
1930　金輸出解禁
　　　ロンドン海軍軍縮条約調印
1931　柳条湖事件（満州事変開始）
　　　金輸出再禁止
1932　「満州国」建国宣言
　　　五・一五事件
1933　国際連盟脱退通告
1935　天皇機関説事件。国体明徴声明
1936　二・二六事件
　　　日独防共協定調印
1937　盧溝橋事件（日中戦争開始）
1938　近衛声明
　　　国家総動員法
1939　日米通商航海条約廃棄通告
1940　北部仏印進駐
　　　日独伊三国同盟
　　　大政翼賛会。大日本産業報国会
1941　日ソ中立条約締結
　　　太平洋戦争（～45）
1942　ミッドウェー海戦
1943　学徒出陣
1944　本土空襲本格化
1945　東京大空襲・沖縄戦
　　　広島・長崎に原爆投下
　　　ポツダム宣言受諾

1分で納得!

大正時代～昭和戦前

明治天皇が亡くなると、大正天皇が即位したものの天皇は健康にすぐれず、わずか14年あまりで大正時代は終わった。その後には長い昭和時代がつづくことになるが、この章では、太平洋戦争の終わりまでを見ていこう。この時代は、大正期に高まった**デモクラシー**とよばれる民主主義的風潮が、どういう経緯で戦争に向かったのかがポイントとなる。

まず、大正期に日本を世界第3位の経済立国に押し上げたのは、**第一次世界大戦**であった。中国や太平洋への進出を強めるいっぽう、大戦景気によって日本は工業国へと脱皮した。米騒動をきっかけに社会運動がもりあがるなか、大戦の前後には2度の護憲運動がおこった。これにより藩閥政治はくずれ、**憲政の常道**とよばれる政党内閣の慣例がうまれた。

しかし大戦後には不況がつづき、昭和に入ると金融恐慌や**昭和恐慌**がおこって、日本経済は大きなダメージをうけた。失業者の増大に政党の腐敗も重なって、民衆の不満が高まった。こうしたなかで軍部が**満州事変**を引き起こすと、人々のあいだには軍部に賛同する者も多くあらわれた。軍部の暴走をとめられない政党内閣はゆきづまり、憲政の常道は終わった。

満州への侵略は欧米との摩擦を引き起こし、日本は国連を脱退。さらに**日中戦争**が勃発すると軍国主義の色合いはいっそう強まり、国家総動員体制がつくられていった。外交面ではドイツ・イタリアと結ぶいっぽう、アメリカ・イギリスとは関係を悪化させた。

ヨーロッパで第二次世界大戦がはじまると、フランス領インドシナに進駐し、アメリカなどから経済制裁をうけた。このため関係改善をはかって日米交渉をおこなったものの、決裂すると日本はアメリカとの戦争を決意し、**太平洋戦争**をはじめた。日本はこの戦争を「アジアを欧米の支配から解放する」ものだととなえたが、最初からそれを目的に戦争をおこしたものではなかったのだ。

につき、対ドイツ宣戦布告をして、ドイツ軍基地のあった山東《さんとう》半島の**青島《チンタオ》**を占領した。ここは日清戦争後にドイツが中国から借りていたところで、ドイツは山東省一帯に鉱山や鉄道などの権益をもっていた。そこで翌年、日本は中国の袁世凱《えんせいがい》政権に対して**二十一カ条要求**を突きつけ、「そのドイツ権益を譲渡しろ」とせまった。ドイツ軍がヨーロッパでてんてこまいしているうちに、アジアでのドイツ権益を奪ってしまおうという作戦だ。

日本はほかにもいろいろ要求した。旅順・大連などの満州権益の借りている期限を、99年間延長することを求めたのだ。99年なんて途方もない長さだ。「借りる」というより「もらう」に近い。三国干渉のことを思えば、こんな日本の行動を列強が黙っているわけがないのだが、今は大戦中で余裕がない。これまたうまい作戦だ。だからこのとき日本をとがめたのは、まだ参戦していなかったアメリカだけだった。もっとも日英同盟で国際的な足場を確保していた日本はこれに動じず、要求の一部を除いただけで、大部分を中国に認めさせた。

ヨーロッパ諸国が中国市場を留守にしているあいだに、日本は綿製品などの中国輸出をのばし、海運・造船業も発展させて世界3位の**海運国**になった。戦争はたくさんの人が死ぬいっぽうで「成金《なりきん》」を生み出す。これでうるおった日本は、日露戦争の際に外国から借りたお金を返し、逆にお金を貸すほどになった。そして工業生産額が農業生産額を上回り、ついに**工業国**となったのである。

第一次世界大戦がはじまった直後、元老の井上馨はこの戦争を「天佑《てんゆう》」だと言っている。大戦が外交や経済面にとって「天のたすけ」となるだけでなく、藩閥政治のゆきづまりを打開するチャンスになると予想したのである。人々が戦勝のヨロコビに沸けば、ふたたび藩閥政府にもどしやすいだろう、というわけだ。実際、第二次大隈内閣のあとに首相になったのは、長州・陸軍閥の寺内正毅《てらうちまさたけ》であった。元老山県は、またもや自派の人間を立てたのである。

ロシア革命を邪魔するためのシベリア出兵

大戦中の1917年、ロシアで革命がおこった。戦争が長びいて苦しむ労働者や兵士が立ちあがり、皇帝を退位させ、世界初の**社会主義国家**をつくったのである。革命が波及することをおそれたアメリカや日本は、革命を邪魔すべく、**シベリア出兵**をおこなったが、効果はなかった。

ところがこのシベリア出兵は思わぬところに飛び火した。「出兵で大量の軍用米が必要になるから、米価が上がるだろう」と、米の買い占め・売りおしみが横行したのだ。そんなことをすればよけいに米価は高騰する。たまりかねた富山県の主婦たちは米屋を襲撃した。この**米騒動**が全国に広がると、その鎮圧に寺内内閣は軍隊まで出動させた。長州・陸軍閥らしい寺内のこの対応は、民衆をさらに激怒させ、その度合いは護憲運動のときのレベルを超えた。このため寺内内閣のあとには、さすがの山県も政党内閣の成立を認めざるをえず、立憲政友会総裁の**原敬**《はらたかし》を後継首相に推薦した。

それにしても、日本の社会主義者が勢いづくのを防ぐためにシベリア出兵をしたのに、めぐりめぐって米騒動がおこってしまったとは、とんだ逆効果だ。日本ではこれを機に、ふたたび社会運動がもりあがっていくことになる。

あだ名は「平民宰相《さいしょう》」・原敬

1918年に首相になった原敬は、華族でないことと衆議院議員であることの2つの面で初めての首相であった。そのうえ衆議院第1党の立憲政友会の総裁とくれば、国民の不満を鎮めるにはうってつけの人材だ。こうしてついに**本格的な政党内閣**が生まれた。

このとき、野党から普通選挙法を求める声がおこった。選挙資格の納税制限をなくせと言うのである。しかし原はこれに反対した。下層民にまで選挙権をあたえれば、社会主義者に票が集まってしまう。その数は読めない。そこで選挙法を改正したものの、**3円以上の納税者**という制限を残した。これなら全国の5%しかいない。結局投票するのはお金持ちだけだ。現代日本でも言えることだが、「国民の納得する政治」といっても、そこで言う「国民」がすべての国民を指しているとはかぎらない。安直に「国民を幸せにします」と連呼する政治家がいたら、そこに自分が含まれるのかを確かめてみたほうがいいだろう。

その後、原首相は、政友会員の汚職事件に怒った青年によって刺殺された。

日本が第一次世界大戦で得たものは大きかった

第一次世界大戦がドイツなどの同盟国の敗北で終わると、1919年に**パリ講和会議**が開かれた。日本は勝った連合国の一員として会議に参加し、ヴェルサイユ条約に調印した。この条約で日本は山東省の旧ドイツ権益を継承することが認められたが、中国ではこれに反発する**五・四運動**がおこった。中国も連合国の一員だったため、自国の権益が奪われることに納得できなかったのだ。しかし、ここは日本のほうが上手だった。事前に欧米諸国に根回ししておいたのである。

会議では**国際連盟**をつくることも決まり、日本はその常任理事国となった。そして国連から委任される形で、赤道以北のドイツ領南洋諸島も統治することになった。パラオやマーシャル諸島が日本の領域となったのである。海ばかりではあるが、かなり広い範囲を手中にしたといえる。

軍縮と日本叩きのワシントン会議

第一次世界大戦後、各国は軍艦建造を競いあい、財政的に苦しくなった。そこでアメリカは軍縮をよびかけ、1921年に**ワシントン会議**をひらいた。会議では、太平洋の島々の基地を増やさないよう現状維持を約束する四カ国条約のほか、主力艦とよばれるクラスの軍艦の保有量を制限する**海軍軍縮条約**が結ばれた。いっぽうで2カ国間で権益を保護しあう日英同盟は廃棄することになった。

アメリカのねらいは軍縮だけではなかった。大戦を利用して急成長した日本を他国を誘ってこらしめてやろう、と考えていたのだ。そこでアメリカは、中国の主権尊重・領土保全などをうたう条約の締結を各国によびかけた。世界から孤立することを恐れた日本は、やむをえずこれに歩調をあわせた。その結果、九カ国条約が結ばれると、日本は山東省の権益を返還した。「出る杭は打たれる」とはまさにこのことだ。

協調外交でいくべきか、積極外交でいくべきか

1911年に中国で辛亥《しんがい》革命がおこり、清朝は滅んで**中華民国**となった。国内は各地に軍閥とよばれる勢力が割拠する状態で、まるで日本の戦国時代のようであった。

これを統一すべく1926年、国民政府の**蔣介石**《しょうかいせき》が**北伐**をはじめた。中国南方から北上しながら各地の軍閥を倒していき、満州軍閥の**張作霖**《ちょうさくりん》を倒せばゴールとなる。

そのあかつきにおこることは何か。中国人同士の内輪もめがなくなれば、その次にターゲットとされるのは日本だろう。二十一カ条要求以来、中国では反日運動が高まっていたからだ。

ところがこの北伐に対して、何の措置もとらなかったのが若槻内閣だった。若槻は加藤高明首相が死去したあとを

●大正・昭和時代（戦前）の首相

桂太郎
山本権兵衛
大隈重信
寺内正毅
原敬
高橋是清
加藤友三郎
山本権兵衛
清浦奎吾
加藤高明
若槻礼次郎
田中義一
浜口雄幸
若槻礼次郎

ついだ憲政会総裁で、外務大臣に幣原喜重郎《しではらきじゅうろう》を起用して**協調外交政策**をとっていた。これは中国の主権を尊重し、中国内政に干渉しないという方針である。

いっぽうの立憲政友会は、その逆の**積極外交（強硬外交）方針**をとるようになった。そのために長州・陸軍出身の田中義一を総裁に迎えたほどだ。

金融恐慌が起こったとき、枢密院の伊東巳代治《みよじ》は若槻内閣の協調外交にいらだっていた。中国に出兵してでも北伐を阻止すべきだと考えていたのだ。だからこそ若槻内閣の緊急勅令案を否決して、内閣を退陣に追い込んだのである。代わって成立した田中内閣は**山東出兵**をおこない、伊東巳代治の思惑は成功した。こうして日本からの出兵軍は北伐の軍隊とぶつかった。

犬養毅
斎藤実
岡田啓介
広田弘毅
林銑十郎
近衛文麿
平沼騏一郎
阿部信行
米内光政
近衛文麿
東条英機
小磯国昭
鈴木貫太郎

守るべきはずの張作霖を日本が殺した

ところで、大日本帝国憲法では軍は天皇の統帥権《とうすいけん》のもとに置かれており、内閣や議会が直接関与できないようになっていた。もっとも天皇はみずから動くことをひかえていたから、逆にこれは軍部が暴走しやすいしくみでもあった。

その暴走のはじまりともいえる事件が1928年におきた。日露戦争後に満鉄（南満州鉄道）守備のために設置されていた関東軍が、張作霖を爆殺したのである。関東軍は混乱の隙に満州を占領しようとはかったが失敗した。それどころか張作霖のあとをついだ子の**張学良**《ちょうがくりょう》が、蔣介石にくだって満州を国民政府に合流させたため、北伐が完了してしまった。

この**張作霖爆殺事件**で田中首相は昭和天皇から叱責されて退陣した。代わって成立した**浜口雄幸**《おさち》**内閣**は、憲政会の後身の立憲民政党を与党とする内閣で、ふたたび幣原喜重郎が外相となって協調外交を展開した。

金解禁が引き起こした昭和恐慌

現在ではドル円などの為替相場は時々刻々と変動しているが、各国が金本位制をとっていた時代には安定していた。紙幣の金兌換が保障されているので、たとえば100円＝金75g＝約50ドルというように、金が媒介となってレートが安定するのである。円高・円安で一喜一憂させられる現代から見ると、うらやましい気もする。

第一次世界大戦中、この金本位制が一時停止されたことがあった。自国の金が流出するのを防ぐために列国が金兌換を一時停止したのである。大戦後はまた金本位制に復帰したが、日本だけは大戦後も復帰できなかった。恐慌の連続で余裕がなかったからだ。そうすると他国間の為替は安定しているのに、日本円の為替相場だけが変動することになる。これでは貿易がうまくいかない。

そこで浜口内閣の蔵相**井上準之助**は、1930年に**金輸出解禁**を断行し、金本位制に復帰させた。ところが昔どおりのレートにもどしたため円高となり、外国から見ると日本商品が1割近く値上がりした形になってしまった。これでは売れない。円高になると輸出企業が困るのは今も当時も同じだ。そこにアメリカではじまった世界恐慌が重なったため輸出は激減し、**昭和恐慌**となった。

アメリカ向けの生糸輸出も激減したため繭価が下がり、ちょうど豊作で米価も下落したため、農家も深刻なダメージを受けて**農業恐慌**となった。

自作自演の柳条湖《りゅうじょうこ》事件ではじまった満州事変

1930年、浜口内閣は**ロンドン海軍軍縮会議**に参加した。その際、海軍の反対を押し切って軍縮条約を結んだため、軍部・右翼・野党などから「天皇の統帥権を干犯《かんぱん》するな!」と非難された。そのうえ浜口首相は右翼の青年に狙撃されて退陣し、同じ立憲民政党から若槻礼次郎が首相に立った。

第二次若槻内閣でも幣原協調外交がつづくと、軍部はこれを軟弱外交とののしった。中国では反日運動が強まっているのに、何の手も打たないことにいら立ったのだ。危機感をつのらせた関東軍は1931年、柳条湖でみずから満鉄を爆破し、これを中国軍のしわざだとして戦争をはじめた。**満州事変**である。

若槻内閣は関東軍の暴走をとめられずに総辞職し、代わって立憲政友会の**犬養毅内閣**が成立した。満州を占領した関東軍は、列強からの非難をかわすため1932年、満州国を建国し、満州人による国家独立という体裁をとった。これに反対した犬養首相は**五・一五事件**で軍部によって暗殺された。

日本をいち早く恐慌から脱出させた高橋是清

昭和恐慌がつづいて失業者が増大するなか、犬養内閣の蔵相高橋是清は**金輸出再禁止**をおこなった。金兌換を停止して金本位制を離脱し、現在までつづく管理通貨制度に移行したのである。この制度では紙幣の金兌換を保障しないため、紙幣発行量を経済状況にあわせて調節できる。さらに高橋蔵相は、赤字国債を発行して資金を調達し、軍事費や農村土木事業にお金を費やす**インフレ政策**をとった。これで失業者を救ったのである。

金兌換をやめた紙幣がたくさん出回ると、紙幣の価値は下落する。やがて井上財政のころと比べて、なんと5割以上も円安となり、輸出は増大した。なかでも綿織物の

二・二六事件で復活した軍部大臣現役武官制

ひとくちに軍部といっても、穏健派から強硬派まで温度差がある。そして斎藤実や岡田啓介は穏健派の海軍軍人だったから、陸軍の皇道派はこれに反発した。彼らはクーデターをおこして天皇親政による国家改造を目論む、いわばアブナイ一派だった。

1936年、その皇道派が**二・二六事件**をおこした。岡田首相はからくも助かったが、内大臣の斎藤実や蔵相の高橋是清などは暗殺された。しかし、昭和天皇が皇道派を「反乱軍」としたため、クーデターは失敗に終わった。

これ以後陸軍では、合法的な国家改造をはかる**統制派**が主導権をにぎることになる。岡田内閣に代わって広田弘毅《こうき》内閣が成立すると、ふたたびかつて廃した**軍部大臣現役武官制を復活**させ、内閣の死命を軍部が制するようになった。

実際、広田内閣のあとに元老西園寺が宇垣一成《うがきかずしげ》を首相に立てようとしたところ、陸軍は陸相を推薦せず、宇垣は組閣できずに終わった。これを「流産内閣」という。西園寺は陸軍の意向に沿う人物を選ばざるを得ず、またもやこの制度に苦しめられたのである。

盧《ろ》溝《こう》橋《きょう》事件ではじまった日中戦争

西園寺が最後に選んだ首相は、五摂家筆頭の近衛家当主の**近衛《このえ》文麿《ふみまろ》**だった。これ以後は、首相経験者らによる重臣会議で後継首相を選ぶようになる。

１９３７年に第一次近衛内閣が成立した直後、盧溝橋で日中両軍が衝突し、これをきっかけに**日中戦争**がはじまった。日本軍はまもなく首都南京《ナンキン》を占領し、いわゆる**「南京大虐殺」**をおこない、非戦闘員をも多数殺した。

対する中国側は、張学良の活躍で国共合作が成立し、内戦をやめて抗日民族統一戦線という日本と戦う組織が結成された。そして首都を内陸部の重慶《じゅうけい》に移した。

こうなると日本には分が悪いわけだが、近衛首相は緒戦の戦果に気をよくし、「国民政府と和平交渉はしない！」との声明を出した。中国を屈服させるというのだ。しかし広大な中国の国土を制圧することなどできず、戦争は長期化していった。これじゃあ近衛は「世間知らずなお坊ちゃん」というそしりを免れないだろう。

国家総動員法で議会の存在価値はなくなった

日中戦争がはじまると、国をあげての総力戦にそなえる必要が出てきた。そこで制定された法律が**国家総動員法**である。この法律では、戦争に必要な物資や労働力を運用するための勅令を、議会の承認なしで出せるようにした。これでは議会の役割がなくなってしまう！　そんな法律を成立させた議会の自己矛盾ぶりにはあきれる。日本が戦争の深みにはまっていくのに議会もひと役買ったと言えるだろう。

労働運動も変化した。労働組合は戦争協力の姿勢をとって解散し、代わって各職場には**産業報国会**がつくられていった。「報国」とは「国に報いる」という意味だから、ここでもまた個人の自由より国家を優先する思想の台頭がかいま見える。

いっぽう、そのころ世界では、十分な資源をもつ自由主義国のアメリカ・イギリス・フランスと、資源が乏しくファシズム化する日本・ドイツ・イタリアのあいだの溝が深まりつつあった。

日本の支配領域はたしかに広がったが、石油資源は今と同じでほとんど存在しなかった。逆に今と違うのは、その4分の3をアメリカから輸入していたことだ。日本はこの石油で戦争をしていたから、アメリカは経済制裁ができるように、１９３９年、**日米通商航海条約の廃棄**を通告してきた。これで日本への輸出をいつでもとめられることになった。

ヨーロッパで第二次世界大戦がはじまった

１９３９年、ドイツが隣国のポーランドに侵入したのをきっかけに、ドイツ・イタリア対イギリス・フランスを主軸とする**第二次世界大戦**がはじまった。日本は当初、この戦争に介入しない方針をとっていたが、ドイツが破竹の勢いでフランスを降伏させると、「ドイツと軍事同盟を結ぼう」という声が高まった。

重慶の国民政府にはフランス領インドシナ（仏印《ふついん》）を経由して援助物資が送られていたから、「ドイツと結んで仏印を占領すれば、日中戦争の膠着状態が打開できる！」という声もおこった。そして、戦争と政治の２つの歯車がかみ合っていないのが弱点だとして、「ドイツのナチス党にならって一国一党の組織をつくろう」という**新体制運動**がおこった。この運動には軍部も政党もこぞって参加し、各政党は解散して**大政翼賛会**《たいせいよくさんかい》が結成された。総裁には、ふたたび首相となった近衛文麿がつき、さまざまな国民組織を傘下におさめていった。

第二次近衛内閣は**日独伊三国同盟**を結ぶとともに、**北部仏印進駐**をおこなった。しかし、これに対してアメリカは鉄の対日禁輸措置をとり、中国には別ルートで援助をおこなった。

決裂した日米交渉から開戦へ

かわって1941年、このままアメリカとの関係が改善されなければ、石油をとめられてしまう。そこで事態を打開すべく日米交渉をはじめたのだが、それにあたって外相松岡洋右《ようすけ》は、**日ソ中立条約**を結んだ。ソ連と戦う可能性がなくなれば、その分アメリカに対して強い態度で交渉にあたれると考えたのである。

その後、日本が**南部仏印進駐**をおこなうと、アメリカは日本への**石油の輸出を禁止**した。石油の備蓄は2年分しかないため、このまま交渉がずるずると長引けば不利になる。そこで政府は期限を区切って交渉をおこなうこととし、まとまらなかった場合の開戦も視野に入れはじめた。

陸軍の東条《とうじょう》英機《ひでき》が首相となると、アメリカは**ハル＝ノート**を通告してきた。そこには「中国・仏印から全面撤退し、三国同盟を廃棄しろ」と、これまでよりも強い要求が書かれていた。日本はそんな要求はとても呑めないとして、ついに開戦を決定した。

快進撃は最初の半年だけだった太平洋戦争

1941年12月8日、日本軍はハワイの真珠湾を奇襲攻撃し、対米英宣戦布告をおこなって戦争を開始した。日本はこの戦争を、欧米の支配からアジアを解放し、大東《だいとう》亜《あ》共栄圏をうち立てるためのものと位置づけたため、当時はこの戦争を**「大東亜戦争」**とよんだ。そして、アメリカの支配下にあったフィリピンや、イギリスの支配下にあったマレー半島やビルマ（ミャンマー）、さらにオランダ領東インド（インドネシア）などを、あっという間に占領していった。

しかし、開戦から半年後の**ミッドウェー海戦**でアメリカ軍に大敗すると、早くも戦

ここに至ってついに昭和天皇が**無条件降伏**を決断した。8月15日にラジオの玉音放送で国民に敗戦を知らせたのである。

第11章

昭和戦後〜平成時代

アメリカの占領下で改革がすすみ、日本は民主的な国家へと変貌をとげる。新憲法では戦争放棄もうたわれたが、冷戦の余波で再軍備がはじまり、主権の回復とともに高度経済成長を経て先進国となった。

1945 五大改革指令
新選挙法。労働組合法
1946 天皇の人間宣言
公職追放令
日本国憲法公布(翌年施行)
1947 二・一ゼネスト中止
労働基準法。独占禁止法
1948 経済安定九原則
1949 ドッジ・ライン
シャウプ税制勧告
1950 警察予備隊創設
1951 サンフランシスコ平和条約・
日米安全保障条約調印
1954 防衛庁・自衛隊発足
1955 社会党統一。保守合同
1956 日ソ共同宣言。国連加盟
1960 日米新安全保障条約(安保改定)
1965 日韓基本条約調印
1972 沖縄祖国復帰実現
日中共同声明
1973 変動為替相場制へ移行
石油危機
1976 ロッキード事件問題化
1989 消費税導入
1991 バブル経済の崩壊
1992 PKO協力法成立
1993 自民党分裂。非自民連立内閣成立
2009 衆議院選挙で民主党大勝

マッカーサーがやってきた！

1945（昭和20）年8月末、連合国軍最高司令官**マッカーサー元帥《げんすい》**がパイプを片手に厚木飛行場に降り立った。およそ7年もつづくことになる、アメリカ軍による占領のはじまりである。日本では皇族の東久邇宮稔彦《ひがしくにのみやなるひこ》が首相となり、「国体護持《ごじ》」すなわち天皇制の維持をとなえた。

日本を占領するためのしくみは次のようになっていた。

まず11カ国からなる極東委員会が基本方針を出す。それをアメリカ政府経由で連合国軍最高司令官総司令部（**GHQ**）がうけて、日本政府に指令や勧告を出す。日本政府はそれにしたがって法律を制定し、政策を実行する。

同じ敗戦国のドイツでは、連合国が直接統治をしたのに対し、日本では日本政府が存在する**間接統治形式**がとられた。また、ドイツが東西ドイツに分かれてしまったのに対し、日本ではアメリカが占領政策の主導権をにぎった。「原爆で日本を降伏させたのはオレ様だ！」と、でかい顔ができたのである。

重んじている。

思想統制については、共産主義者などを釈放するいっぽう、治安維持法や思想取り締まりのための**特別高等警察を廃止**した。これによって言論の自由が保障され、共産主義もとがめられなくなったのだ。その逆に、戦争犯罪人（戦犯）は逮捕され、かつて戦争協力をした者は公職から追放された。その数は約21万人におよんだ。

財閥解体と農地改革で経済機構の民主化を

GHQは**財閥と寄生地主制**が軍国主義の基盤になっていると考えた。財閥は日本経済を独占し、労働者を低賃金で働かせていたし、五・一五事件で政党内閣が終了すると、今度は軍部と結んで利益を得るようになっていった。植民地拡大にも加担していたのである。このため**財閥解体**がおこなわれた。

財閥の頂点にあった持株会社は解体され、財閥の復活を防ぐために**独占禁止法**が制定された。ついで大企業の分割がおこなわれることになったが、のちにアメリカの占領政策が転換したため、分割された会社はわずかにとどまった。

いっぽう低収入の小作人がたくさんいたのは、寄生地主制のせいだったから、地主の貸付面積を制限して、貸付地を小作人に譲らせる**農地改革**がおこなわれた。これにより小作地の8割が解放されて自作農が増え、寄生地主は没落した。

アメリカは天皇制をどう見ていたか

戦前の日本では天皇を現人神《あらひとがみ》としてあがめ、統帥権のもとにある軍隊は、天皇のための軍隊と位置づけられていた。このため戦争で死んだ日本軍人は、天皇のために命をなげうった者として、靖国《やすくに》神社に祀られた。

これらの基盤となっていた国家神道を解体すべく、GHQは国家と神道の分離を命じる**神道指令**を出した。そして1946（昭和21）年の元旦、天皇はみずから神格化を否定する「人間宣言」を発した。

連合国のあいだでは統帥権をもつ天皇の戦争責任が問題となっていたが、GHQは「天皇制を廃止したら日本国民が大混乱するだろう」と考え、むしろ逆に天皇を利用して占領政策をすすめることにした。このため、戦争指導者のA級戦犯を裁く**極東国**

際軍事裁判（東京裁判）では、昭和天皇は起訴されなかった。この裁判は、連合国の判事によって裁かれ、東条英機ら7名が絞首刑となった。

ところで肝心の憲法だが、幣原内閣が最初につくった改正案はあいかわらず天皇の統治権を認めるものだった。そこでGHQは憲法研究会の私擬憲法を参考にして原案をつくり、それをもとに日本政府が練り上げていった。こうしてできあがった**日本国憲法**は、1946年11月3日に公布、翌年5月3日に施行された。

新憲法では、**国民主権・戦争放棄・基本的人権の尊重**の3つを原則としており、天皇は国民統合の象徴と位置づけられた。

ゼネストの中止と社会党内閣の誕生

第二次大戦中、大政翼賛会に合流していた政党は、戦後、立憲政友会系が日本自由党、立憲民政党系が日本進歩党として復活した。また、無産政党は結集して日本社会党をつくり、日本共産党は合法政党として再建した。幣原首相は日本進歩党に属したが、戦後初の総選挙で敗れて退陣し、第1党となった日本自由党の**吉田茂**が首相となった。

このとき労働運動がもりあがりをみせ、1947（昭和22）年、官公庁の労働者らによる**二・一ゼネスト**が計画された。しかし前日になって突然GHQから指令が出され、ストライキは中止に追い込まれた。

五大改革指令では労働運動を奨励したものの、社会主義勢力が強まりすぎることをGHQは警戒しはじめたのだ。世界ではアメリカを中心とする資本主義陣営と、ソ連を中心とする社会主義陣営が対立し、いわゆる**「冷戦」**が影を落としつつあったからだ。

人々の不満が高まるなか同年4月に総選挙をおこなうと、与党は敗れ、日本社会党が第1党となった。その結果、社会党の**片山哲**《かたやまてつ》が民主党・国民協同党との3党連立内閣を組閣した。社会主義者が首相になるなど、戦前の日本ではありえない。GHQとしても苦虫をかみつぶしたことだろう。

片山内閣の後も同じ3党による内閣がつづいた。**芦田均**《あしだひとし》**内閣**である。このとき**昭和電工疑獄事件**がおこり、副首相だった人までもがワイロをもらった容疑で逮捕された。このスキャンダルで芦田内閣は退陣し、ふたたび吉田茂が首相となった。

その後、芦田前首相までもが逮捕されるなか、吉田首相は衆議院を解散し、総選挙をおこなった。その結果、先の3党は議席を減らし、吉田の率いる民主自由党が過半数の議席を獲得した。こうして第三次吉田内閣は安定政権となった。

経済安定九原則とドッジとシャウプ

終戦直後の日本経済は食糧不足とインフレに悩まされ、アメリカからの援助にたよっていた。GHQは日本経済を自立させるため、1948（昭和23）年に**経済安定九原則**を発した。翌年、それを実施するためにアメリカからドッジとシャウプの2人が来日した。

ドッジは吉田内閣に、歳出が歳入を上回らない超均衡予算の編成を命じ、為替レートを1ドル＝360円とした。いっぽう**シャウプ**は、間接税中心の税制から直接税（所得税）中心の税制に転換することを勧告した。これらの政策で日本経済はデフレに転じ、一時は不況となった。しかし、翌1950（昭和25）年に朝鮮戦争がはじまったため、米軍が日本に軍事物資を発注して**特需景気**がおこり、鉱工業生産は戦前水準を回復した。

朝鮮戦争と日本の再軍備化

終戦後、中国はふたたび内戦となり、国民党の蔣介石は台湾に逃れ、共産党の毛沢《もうたく》東《とう》が1949（昭和24）年に**中華人民共和国**をつくった。いっぽう朝鮮では米ソ両軍の占領のあと、1948年に**朝鮮民主主義人民共和国（北朝鮮）**と**大韓民国（韓国）**がそれぞれ成立。2年後に北朝鮮が韓国に侵攻して**朝鮮戦争**がはじまった。

アメリカは国連軍として韓国側につき、逆にソ連や中国は北朝鮮を支援した。このときアメリカはマッカーサーの指揮で占領軍を出動させたから、日本はこの戦争の影響を強くうけることになった。

マッカーサーは吉田内閣に再軍備を求め、**警察予備隊（のちの自衛隊）**が設置された。共産主義者は職場から追放され、逆に公職追放は解除、戦犯は釈放されていった。これでは終戦直後とまるで逆だ。朝鮮戦争下では、共産主義は敵となり、戦争は悪いことではなくなったのだ。ここまで来ればアメリカの占領政策ぶりがはっきり見えるだろう。「非軍事化・民主化」の方針を捨てて、日本を共産主義に反抗する**「反共の防壁」**とし、日本経済を自立させたいと思うようになったのだ。終戦からまだ5年も経っていないというのに、この豹変ぶりには目が回る。物事の善悪はいったい何によって決まるのだろうか。

素直によろこべない？　サンフランシスコ講和会議

朝鮮戦争のさなかの1951（昭和26）年、アメリカは日本を独立させ、資本主義陣営の一員に組み入れようとして**サンフランシスコ講和会議**を開いた。表面的には「日本は民主主義国家となった」ということだが、本音はもちろん違う。朝鮮戦争で在日米軍の意義が強まり、このまま米軍を置きつづけたくなったのだ。そこで、講和条約と同時に、米軍の駐留を認める**日米安全保障条約**も結ばせようとしたのである。あくまでも安保条約とセットなのだ。吉田首相はこの条件を呑み、2つの条約に調印した。

こうした事情で開かれた講和会議にインドやビルマは参加せず、ソ連などは調印を

がつとめたから、鳩山は自分が飛び出した本家を乗っ取ることに成功したわけだ。これ以後、自民党と社会党が議席比およそ2対1で対峙しながら、自民党政権が1993（平成5）年までつづくことになる。これを**55年体制**とよんでいる。

●自由党分裂前の状況

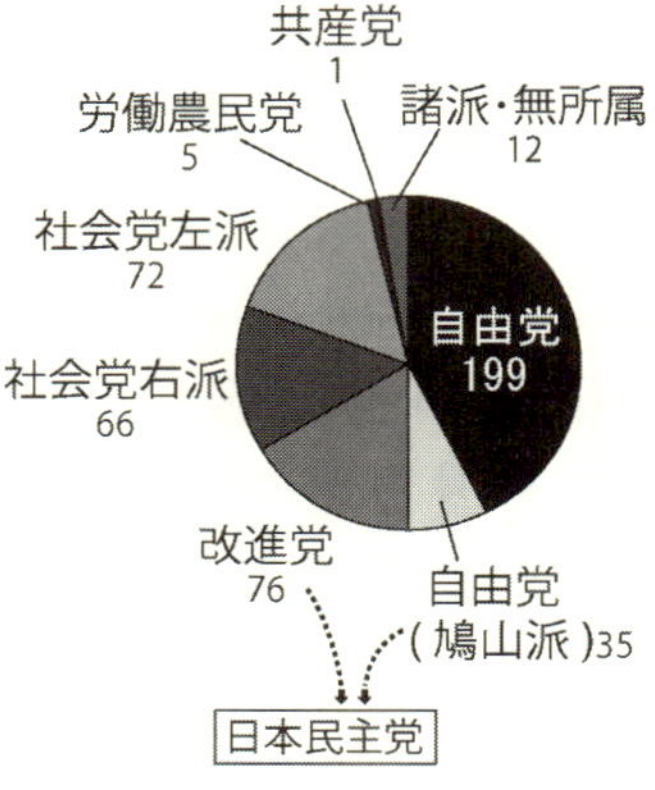

4人の首相がとった外交政策

鳩山首相は1956（昭和31）年、**日ソ共同宣言**に調印してソ連との国交を回復させた。その際、日本の**国連加盟**の支持を取りつけ、同年、加盟をはたした。また、将来平和条約が調印されたら、ソ連が領有している北方四島のうち、歯舞《はぼまい》諸島と色丹《しこたん》島を返還することもこのとき定められた。こちらは今もって実現していない。

鳩山一郎に続いて首相になった岸信介《のぶすけ》は1960（昭和35）年、対等な日米関係を築くべく**日米安全保障条約を改定**した。講和条約と同時に結んだ安保条約では、アメリカが日本を防衛する義務が書かれていなかったから、義務づけようというわけだ。しかし反面、日米間の軍事関係はより強まることになるため、もし米ソが戦争をはじめれば日本がソ連から攻撃される可能性が高まることになる。このため改定に反対する**安保闘争**がおこり、日本中が大騒ぎとなったが、それでも岸首相は改定を強行して退陣した。

佐藤栄作首相は1965（昭和40）年、大韓民国と**日韓基本条約**を結んで国交を樹立したが、その際に韓国を朝鮮にある唯一の合法政府とした。このため北朝鮮との国交は今もないままだ。ほかに佐藤首相は、講和後もアメリカの施政権下に置かれつづけた**沖縄の返還**交渉に力を注ぎ、1972（昭和47）年にようやく返還が実現した。

田中角栄《かくえい》首相は1972年、**日中共同声明**に調印して中華人民共和国との国交を正常化させた。このときも中華人民共和国を中国における唯一の合法政府としたため、台湾との国交は断交し、民間の交流がおこなわれるだけとなった。

もはや戦後ではない、高度経済成長の時代なのだ

1955(昭和30)年ころから、**高度経済成長**がはじまった。好景気が連続し、年平均10%を超える経済成長がつづいたのだ。その要因の1つに、「安い円」と「安い海外資源」があげられる。1ドル＝360円の固定レートは実勢よりも円安で輸出に有利だった。また、全面的に輸入にたよっている石油も安かったのである。

そして、1960年には安保闘争で離れた人心をつかむべく、**池田勇人**《はやと》首相が**「所得倍増」**をとなえ、10年で国民総生産を2倍にすると言った。各家庭には白黒テレビ・洗濯機・冷蔵庫の三種の神器が普及し、1964年には東京オリンピックも開かれた。こうして日本は世界にもまれにみる成長をとげていった。

佐藤栄作内閣を経て、「日本列島改造」をとなえる田中角栄内閣になっても日本は高度成長政策をとりつづけた。しかし、1973(昭和48)年に第一次**石油危機**がおこると石油価格は高騰し、日本は大打撃をうけた。いわゆるオイル・ショックである。このころにはエネルギー革命がすすみ、火力発電の燃料が石炭から石油に変わっていたことも痛かった。こうして長くつづいた高度成長は終わった。

やっぱり石油や食料を輸入にたよるリスクは大きい。太平洋戦争開戦前夜も石油に泣かされたことが頭をよぎる。輸入にたよらざるをえない状態なら、供給源をいくつももっているべきだし、それらの国々との関係を安定させておくことが重要なのだ。

この石油危機と同じ年から**変動為替相場制**が導入された。このため1ドル＝360円の固定レートによる「安い円」の好条件も失われていったのである。それでも日本企業は、このピンチを減量経営や省エネで乗り切り、さらにはアメリカ向けの輸出を増やして貿易摩擦を招くほどになっていった。

政治とカネとバブル経済

田中角栄首相は、退陣後に**ロッキード事件**で逮捕された。首相をやっていたときにアメリカの航空機メーカーのロッキード社から5億円のワイロをもらっていたのだ。その後も政治とカネの問題はたびたびおこった。

なかでも大きかったのは竹下登《のぼる》内閣のときの**リクルート事件**である。リクルート社が値上がりが確実な未公開株を、中曾根《なかそね》康弘《やすひろ》をはじめ多数の有力政治家に渡していたのだ。大物政治家は立件されなかったが、これで竹下内閣は総辞職した。

この竹下内閣のとき の1989年（昭和64）1月には昭和天皇が崩御し、元号が平成に変わっている。そして同年4月からは3％の消費税がはじまった。これはちょうど世間がバブル経済に沸いているころのことだった。

バブル経済のきっかけは、1985（昭和60）年の五カ国蔵相会議による**プラザ合意**だった。これを機に急速に円高が進み、内需拡大のための超低金利政策でだぶついたお金は土地や株に向かった。人々は値上がりを信じて土地や株を買いあさり、日経平均株価は1989（平成元）年の年末に、3万9000円近い史上最高値をつけた。

しかし、政府や日銀が土地への融資を規制し金利を引き上げたため、地価や株価が急落し**バブル経済は崩壊**した。そしてのちに「失われた10年」とよばれることになる平成不況に突入したのである。

政権の座からずり落ちた自民党

イラクのクウェート侵攻により1991（平成3）年、**湾岸戦争**がおこると、日本は多国籍軍に多額の資金援助をおこなった。しかしカネだけ出して人を出さない姿勢が問題となり、翌年、宮沢喜一《きいち》内閣は**PKO協力法**を制定し、自衛隊を海外に派兵できるようにした。

ところで、この宮沢内閣でまたもや政治家の汚職事件が発覚した。政界に対する人々の不信感がいっそう強まるなか、元熊本県知事の細川護熙《もりひろ》が日本新党を結成した。自民党内にも宮沢内閣に離反する者があらわれたため、内閣不信任案が可決した。自民党から離党した小沢一郎らは新生党を結成し、総選挙で自民党は敗れた。

自民党をのぞく社会党や新生党らは、キャスティングボートをにぎっていた日本新党の**細川護熙**を首相にかついだ。世界的にもめずらしい8党派の連立内閣が誕生したのだ。こうして、自民党が社会党と対峙しながら政権をにぎってきた**55年体制は崩壊**した。

細川首相は代々熊本藩主をつとめた細川家の当主で、近衛文麿の孫でもあった。どこか新体制運動を彷彿とさせないだろうか。この内閣で政治改革法が制定され、衆議院に**小選挙区比例代表並立制**が導入されることになった。

そのあとを羽田孜《はたつとむ》内閣がついだが、連立政権から社会党が離脱したためすぐに終わり、村山富市《とみいち》内閣に代わった。これは社会党と自民党が手を組んでできた内閣だった。自民党は政権の座に返り咲くため、社会党のトップを首相に推したのである。かつて社会党が他党の鳩山を首相に推したことがあったが、今回はその逆だ。そして、村山首相のあとにもこの提携はつづき、今度は自民党の橋本龍太郎が首相となった。過半数を制する政党が存在しないときには、どの政党だろうが、とにかく手を結んで過半数の勢力をつくってしまえば勝ちなのである。

衆議院の勢力図を激変させた小選挙区制の選挙

橋本内閣のあとをついだ小渕恵三《おぶちけいぞう》首相は、自民党と公明党が協力し合う関係を築き、それは次の森喜朗《よしろう》内閣、小泉純一郎内閣でもつづいた。

小泉首相は「郵政民営化」をとなえ、2005（平成17）年にその賛否を問う形で総選挙をおこなった。野党は郵政民営化に反対し、腕まくりして改革に挑む小泉首相を、守旧派の野党が邪魔するようなかっこうになった。この小泉首相の作戦で自民党は圧勝した。

その後には安倍晋三《しんぞう》、ついで福田康夫《やすお》が首相となった。2人はそれぞれ、岸信介元首相の孫、福田赳夫《たけお》元首相の子であった。両内閣ともに1年間ほどしかつづかず、2人とも最後はまるで政権を投げ出すような辞め方をした。

この間、2007（平成19）年の参議院選挙で民主党が参議院第1党となり、躍進しつつあった。福田内閣をついだ麻生太郎《あそう》内閣は、自民党が圧勝した2005年以来の衆院選をおこなわなければならなかった。しかし、解散を先送りするうちにさまざまな失政で支持率は下がり、国民が自民党を見放すなかで2009（平成21）年に総選挙をおこなった。その結果、民主党が300議席を超えて圧勝し、麻生内閣は退陣。民主党の**鳩山由紀夫《ゆきお》**が首相となった。麻生太郎は吉田茂の孫で、鳩山由紀夫は鳩山一郎の孫であったから、まるで55年前の再現のようにも見えるできごとだった。

その後、鳩山由紀夫内閣が首相の政治資金問題などで批判をうけて1年も経たずに総辞職し、新たに民主党の総裁選でトップに立った菅直人が首相となったが、その政権も決して安泰とは言えないようだ。

本作品は当文庫のための書き下ろしです。